VIE ET MORT
EN
PSYCHANALYSE

JEAN LAPLANCHE

VIE ET MORT EN PSYCHANALYSE

FLAMMARION, ÉDITEUR
26, rue Racine, Paris

INTRODUCTION

I

Les six développements présentés ici sont autant d'éléments ou d'étapes dans une réflexion sur la pensée freudienne et dans une tentative pour dégager, par le moyen d'un abord historico-structural de l'œuvre de Freud, une problématique de l'objet de la psychanalyse.

Si nous invoquons, à propos de la découverte psychanalytique, la nécessité d'un certain abord historique, ce n'est pas pour nous mettre à la recherche des sources ou des influences qui peuvent partiellement rendre compte d'une pensée ni pour accorder à la chronologie une autre dignité que celle d'un repère. L'histoire ou l' « historique » de la pensée psychanalytique, telle que nous l'entendons, ne peut que se référer aux coordonnées qui sont celles de la psychanalyse elle-même. C'est dire que, d'une histoire manifeste ou officielle (celle que Freud, lui-même, veut parfois écrire), elle fait appel à une histoire latente, partiellement inconsciente, sous-tendue par des thèmes répétitifs... C'est dire, aussi, qu'elle est inséparable d'un certain abord dialectique, impliquant une évolution par retournements et par crises, à travers des contradictions dont le statut ne peut être précisé d'emblée par qui tente d'abord de les repérer. Même si, au stade de l'interprétation, toutes les *contradictions* de la pensée freudienne ne sont peut-être pas justiciables du même traitement, assignables « au même mécanisme » ou à la même « instance », elles sont au départ dignes de la même attention « librement flottante ». Sans doute, à l'épreuve, certaines contradictions peuvent s'avérer relativement « extrinsèques », adventices, fruits de la polémique ou d'une expression hâtive ; mais même dans ce cas on ne saurait sans dommage les laisser tomber : car l'absurdité dans le contenu manifeste ou l'élaboration secondaire, nous le savons depuis « l'Interprétation du rêve », peut être l'indice d'une critique ou d'une difficulté à un niveau plus profond. Mais ce sont surtout certaines grandes contradictions, parcourant l'œuvre de bout en bout, qui sont à interpréter dialectiquement, soit comme contradictions de la pensée — renvoyant alors à un certain « non-dit » —, soit comme contradictions de l'objet même : c'est par exemple le cas pour la contradiction majeure inhérente à la notion de « moi », à la fois totalité et instance particulière, objet d'amour et d'investissement mais s'arrogeant la position de sujet... etc.

Contradictions de la pensée et contradictions de l'objet sont, en dernière instance, inséparables les unes des autres. Mais, de plus, leur ressort ne peut jouer que si les problèmes ou les concepts à propos desquels elles surgissent sont rapportés à l'équilibre structural dans lequel ces concepts s'insèrent, aux propositions et aux systèmes d'oppositions dans lesquels ils sont engagés. L'histoire d'une notion qui négligerait la perspective de la structure aboutirait ou bien à l'absurdité simplement inféconde, ou bien à une réduction des aspects successifs de la pensée à leur plus petit dénominateur commun : platitude à laquelle se vouent la plupart des « traités » de psychanalyse. Pour ne citer qu'un exemple que nous aurons l'occasion de développer, il est impossible de retrouver, à travers des formulations parfois malhabiles de Freud, la signification du « principe de plaisir » sans tenir compte des bouleversements structuraux où elles trouvent leur place (1).

Au-delà de l'histoire de tel ou tel problème particulier, c'est donc une histoire des remaniements *d'ensemble* de l'œuvre, du passage d'un certain équilibre ou d'un certain déséquilibre structural à un autre état de la pensée, qui veut ici s'ébaucher. Un aspect particulièrement décisif d'une telle étude consisterait à montrer comment les remaniements majeurs de l'œuvre (les fameux « tournants ») sont corrélatifs du déplacement de certains segments de la doctrine, ensembles qu'il convient alors de retrouver en une autre place et avec une nouvelle fonction. D'où la question ultime, de savoir quel est le ressort dernier en ces remaniements : exigences de la structure et de son équilibre ? Jeu des « investissements », étant entendu par là la charge dont est affecté par l'auteur *tel élément* doctrinal qui doit ressurgir ailleurs s'il est occulté ici ? Existence, en dernière analyse, d'un certain nombre d'invariants fondamentaux, qu'on veuille regrouper ceux-ci sous le terme d'intuition, de « découverte freudienne », ou d'un certain désir fondamental ?

Mais l'idée d'une exigence fondamentale, d'une « invariance » se retrouvant à travers des bouleversements pourtant spectaculaires, ne risque-t-elle pas de justifier une critique radicale de la pensée freudienne : si tout l'essentiel était là dès le début (dès le fameux « Projet de psychologie scientifique » de 1895) les soi-disant remaniements de l'œuvre se réduiraient à des jeux kaléidoscopiques, permutations qui n'évoqueraient pas tant l'évolution et l'enrichissement d'une pensée scientifique que les avatars de ce que Levi-Strauss désigne comme « pensée sauvage » ?

------

(1) Cf. notre chapitre VI.

Une réponse, que nous esquissons seulement ici, se développerait sur deux plans :

1) Dans les faits, il est facile de montrer les enrichissements positifs dont bénéficie la doctrine, au cours de son évolution, en fonction des apports de l'*expérience psychanalytique*. Mais une telle évidence, à son tour, introduit à une nouvelle réflexion : il convient de dégager le modèle de développement d'une pensée qui, sous certains aspects, se présente comme une pensée *philosophique* évoluant selon sa nécessité propre, tandis que, d'autre part, elle intègre comme une pensée *scientifique* les faits nouveaux apportés par un champ d'observation particulièrement riche. Il s'agit là d'un mode tout à fait original d'intrication de la pensée théorique et de l'expérience, différent de tout autre en raison de cette donnée indépassable : l'exigence « interne » de la doctrine et la poussée « interne » de ce qui se révèle à l'observation dans le domaine de la cure, sont entées sur une seule racine, se recoupent en profondeur en un même « ombilic ».

2) Au niveau du contenu, la seule réponse consiste à dégager les lignes majeures et constantes de la problématique freudienne, pour ensuite, prenant distance par rapport aux formulations de l'auteur, tenter une *interprétation* de cette problématique qui la ramène à ses éléments les plus radicaux. En ceci est postulée cette thèse que l'on peut, en des termes qui parfois reprennent ceux de Freud et parfois les renversent, restituer une structure de la théorie freudienne au-delà des figures successives où elle s'est traduite.

Il va de soi que notre abord de la pensée freudienne tend à nier qu'il existe en elle des moments de véritable « coupure ». Sans vouloir discuter de ce terme — dont s'est emparée la mode — nous pensons montrer que chez Freud, à travers les mutations de la théorie, c'est la permanence d'une exigence et la répétition du journal d'une découverte qui s'exprime, en une conceptualisation qui n'a pas toujours réussi à trouver du premier coup sa forme scientifique adéquate.

Interpréter Freud, retrouver chez lui les lignes de force inconscientes, c'est donc là un abord commandé par son objet même. Mais si nous qualifions de « psychanalytique » et d' « interprétatif » notre type d'étude, ce n'est pas dans le sens où un Ernest Jones le conçoit dans sa biographie de Freud, induit il est vrai dans sa méthode par des orientations déjà proposées par Freud. Un texte freudien de 1911 (« l'Intérêt de la psychanalyse ») donne quelques indications sur la façon dont on pourrait concevoir l'abord psychanalytique de l'œuvre philosophique. Pris entre la critique simplement rationnelle et la réduction de la pensée à des conditions purement « subjectives », Freud propose un habile compromis : la psychanalyse met le doigt sur les points faibles de la théorie, mais c'est à la critique interne de démontrer ces faiblesses décelées par une autre discipline.

Nous ne pensons pas qu'il s'agisse là du dernier mot de ce que pourrait être une étude psychanalytique de la pensée, s'il est vrai que ce que découvre la psychanalyse va bien au-delà de l'individuel et qu'elle retrouve dans l'inconscient individuel les figures, sinon les solutions, d'une combinatoire plus générale. Ce n'est pas en tout cas par le biais *psycho-biographique* que notre travail veut être psychanalytique. Notre étude est d'abord et essentiellement une étude du texte freudien, à la fois *littérale*, *critique* et *interprétative*.

Littéral et interprétatif, notre mode d'approche de Freud est une tentative, nécessairement tâtonnante et imparfaite, pour transposer *mutatis mutandis* ce qui peut être repris de l'écoute et de l'interprétation dans la cure psychanalytique (1). Ainsi, la double règle complémentaire de la libre

---

(1) Cf. Laplanche (J.), « Interpréter [avec] Freud », in *L'Arc*, nº 34 (Freud), 1968, pp. 37-46.

association et de l'attention librement flottante doit tenter de
trouver son équivalent en une lecture « analytique » toujours
prête à traiter sur le même pied le « mot à mot » — fut-il
inintelligent — le « phrase à phrase » et le « texte à texte ».
Ainsi notre interprétation doit-elle s'appuyer sur la connaissance des procédés de l'inconscient dégagés par la psychanalyse : déplacement, condensation, symbolisation, partiellement reformulés, selon d'autres coordonnées, sous les
chefs de la métaphore et de la métonymie (1).

Lecture *critique* cependant, dans la mesure où le style
de chaque ouvrage, sa situation, sa destination imposent
de ne pas en faire, tel quel, une simple pierre de l'édifice,
à juxtaposer à d'autres. S'il est vérifiable que la pensée
psychanalytique subit constamment l'attirance d'une sorte
d'entropie, abrasant ses aspérités au niveau le plus bas, ce
destin de la pensée psychanalytique est déjà présent chez
Freud, notamment dans les exposés d'ensemble qu'il a pu
donner de sa théorie, de sorte que c'est faire injustice à l'originalité de sa pensée que de se fonder, pour l'exposer, essentiellement ou uniquement sur les grands textes de synthèse.

Nous ne nous dissimulons pas l'opposition qui peut exister
entre une intention critique et la règle analytique, à l'instant invoquée, qui impose au praticien — analyste ou
analysé — une suspension du jugement comparable, en
un sens, à la « réduction phénoménologique » : l'élimination
de toute sélection parmi le « matériel ». Mais nous ne croyons
pas, en tentant de réunir ou de faire alterner ces deux attitudes opposées, être infidèle à la théorie de l'appareil psychique, ni même à certains aspects inéluctables de la pratique psychanalytique : là où « l'élaboration secondaire »,
phénomène du moi, devient envahissante, il peut être de
bonne méthode d'écarter provisoirement, quitte à y revenir

---

(1) Cf. Laplanche (J.) « *Dérivation des entités psychanalytiques* » In : « Hommage à Jean Hyppolite » Paris. P.U.F. 1970.

mieux armé lorsque l'analyse a progressé, certains développements où la systématisation tente de bloquer toute infiltration inconsciente... Il faut d'ailleurs convenir qu'avec l'objet-Freud il n'est jamais besoin d'en aller jusque-là : le texte le plus systématique retrouve aisément sa perméabilité à la vie inconsciente, au contact des essais, des ébauches et des expériences de pensée dans lesquels il se ramifie.

Nous nous efforçons de présenter notre interprétation *comme telle* et d'en préciser les contours, tout en la justifiant comme tendance naissante de l'œuvre à s'interpréter elle-même. Par là nous entendons nous définir par rapport à deux attitudes « interprétatives » opposées. L'une de ces démarches consiste à faire tomber toute la monnaie de Freud dans sa propre escarcelle, au moyen de glissements qui ne se signalent jamais comme tels. L'autre attitude, assurément plus loyale, ne rend pas pour autant pleinement justice à l'originalité de la pensée freudienne dans l'unité de son jaillissement originaire : elle entend trier le bon grain de l'ivraie pour l'intégrer dans son propre pain, mais risque, pour ce faire, de se référer au niveau le plus classique, le plus officiel et le moins inspiré de la doctrine.

I

Vie et mort en psychanalyse.

Il nous est apparu que la suite de nos développements, regroupés autour de la notion classique de conflit, dessinaient le réseau d'une problématique plus complexe : l'intervention de l'ordre vital et de la mort aux limites du champ psychanalytique et aussi — selon quelles modalités ? — à l'intérieur de celui-ci.

Vie et mort : deux termes présents dans la théorie, de façon éclatante parfois, mais beaucoup plus occultés dans la pratique. Depuis l' « urgence de la vie » du « Projet » de 1895 et l'adoption inconditionnelle — pendant la période du « transfert » avec Fliess — de la doctrine des « périodes » et de la bisexualité, jusqu'à cette pulsion de vie qui à la fin de l'œuvre vient subsumer la sexualité, la biologie et le biologisme sont massivement présents dans les écrits freudiens. Voisinage d'un domaine étroitement connexe, sur lequel, rétroactivement, les découvertes concernant la vie pulsionnelle et la sexualité permettraient d'introduire des points de vue renouvelés ? C'est là la perspective « interdisciplinaire » que Freud explicitement (1) et Jones à sa suite (2) proposent pour définir l'apport de la psychanalyse à la biologie : un apport dont il faut bien dire qu'il attendrait encore d'être exploité. Quant à la réciproque, l'intervention des sciences de la vie dans la psychanalyse, elle est souvent invoquée par Freud comme décisive, notamment en ce qui concerne la théorie des pulsions, mais le fait que cette invocation s'adresse le plus souvent aux démons spéculatifs ou poétiques du biologisme, devrait déjà nous donner à réfléchir.

Si la vie est, malgré ces réserves, donnée comme présente, matériellement, aux frontières de la psyché, l'entrée en scène de la mort dans le freudisme est beaucoup plus énigmatique. D'emblée, comme toutes les modalités du négatif, elle est radicalement exclue du champ de l'inconscient.

---

(1) Cf. notamment FREUD (S.), 1913, *Das Interesse an der Psychoanalyse* (l'Intérêt de la psychanalyse), chap. C, » L'intérêt biologique », G.W., VIII, pp. 407-411.
(2) JONES (E.), *La vie et l'œuvre de Sigmund Freud*, tome III, Paris, P.U.F, 1969, pp. 343-357.

Puis la voici, en 1920, qui surgit au centre du système, comme l'une des deux forces fondamentales, et peut-être même comme la seule force primordiale au sein du psychisme, de l'être vivant voire de la matière. Ame du conflit, discorde élémentaire, désormais au premier plan des formulations les plus théoriques de Freud, elle n'en reste pas moins personnage muet, le plus souvent, dans la clinique, où Freud maintient jusqu'au bout la plus stricte réserve par rapport aux développements que semblait, presque naturellement, devoir introduire sa conceptualisation nouvelle : les incidences de l'angoisse de mort ou d'un désir originaire de mourir ne trouveront jamais à se situer, dans la psychopathologie analytique, en cette position de « roc » irréductible qui est dévolue, par excellence, au complexe de castration.

Serait-ce que la mort — la mort humaine comme finitude et non pas la seule réduction au zéro des tensions vitales — trouve sa place, en psychanalyse, dans une dimension plus éthique qu'explicative ? Un texte (1) — un seul texte — publié cinq ans seulement avant « Au-delà du principe de plaisir », pourrait le laisser supposer, tout au moins par ses dernières lignes. Semblant rejoindre le courant héroïque et classique qui, des stoïciens à Montaigne et à Heidegger, nous engage à éclairer notre vie — notre existence — d'une lumière mortelle, les « Considérations actuelles » entendent rappeler en conclusion que « supporter la vie reste le premier devoir de tout vivant » et nous invitent à transposer le vieil adage « si tu veux la paix prépare la guerre » en un « *si vis vitam para mortem* ». Sentence que Freud, cédant peut-être à la tentation de son sujet traduit en un « si tu veux supporter la vie, dirige-toi vers la mort ». Donc : vers *ta* mort.

C'est là cependant une conclusion qui vient coiffer, sans

---

(1) Freud (S.), 1915, *Zeitgemässes über Krieg und Tod* (Considérations actuelles sur la guerre et la mort), G.W., X, pp. 323-355.

autre justification, un développement tout autrement orienté :

« Notre inconscient est tout aussi inaccessible à la représentation de notre mort, tout aussi avide de meurtre envers l'étranger, tout aussi divisé (ambivalent) à l'égard de la personne aimée que l'homme des temps originaires. » (1)

Dans l'inconscient, la mort serait toujours la mort de l'autre, destruction ou perte provoquée, et nous n'accéderions à quelque pressentiment de notre propre mortalité que dans l'identification ambivalente avec la personne chère dont nous souhaitons et redoutons la mort à la fois : soit essentiellement dans le deuil. De sorte que, plus modestement peut-être par rapport aux tentations de la formulation héroïque, le « si tu veux la vie prépare la mort » aurait pu se traduire en un « si tu veux la vie prépare-toi à la mort de l'autre ». Si une certaine éthique au regard de la mort devait se dégager de l'attitude freudienne, ce serait bien dans le sens d'une méfiance par rapport à tout enthousiasme, fût-ce celui de l'*amor fati*, et d'une lucidité qui ne dissimule pas l'intrication irréductible de ma mort à celle de l'autre. Le sceau d'authenticité qui marque les « notices nécrologiques » ou lettres de « condoléances » de Freud ne fait que refléter la poursuite d'une auto-analyse qui ne se relâche pas.

C'est dire que, dans la cure enfin — bien qu'elle ne puisse se définir autrement que comme dévoilement de vérité — une référence à la mort comme vérité de la vie ou épreuve de vérité, ne saurait être considérée que comme un élément-limite, ininterprétable, axiomatique. La suspension de toute « représentation-but » concerne aussi, et au premier chef, ce qui est désigné dans « Au-delà du principe de plaisir » comme « le but final de la vie ». Et si, peut-être, on peut

---

(1) *Ibid.*, G.W., X, p. 354.

retrouver dans la cure d'autres modes par lesquels la mort se fait représenter, ils ne sont pas nécessairement à chercher du côté de la « représentation » mais dans une certaine immanence au discours lui-même.

Réfractées ou représentées selon des modalités sans doute différentes, ni la vie ni la mort ne sont donc références directes pour la pratique psychanalytique. Cette constatation vaudra, pour nous, mise en garde : interroger sans précaution l'acte psychanalytique au regard d'une conception de l'existence qui, pessimiste ou optimiste, rapporte la vie humaine à sa finitude, ce serait au départ refuser de tenir compte de la remise en question qu'exige la découverte de l'inconscient et des motions qui s'y déploient. Non pas que nous rejetions définitivement la prise en considération, dans ses rapports avec la psychanalyse, de la dimension du « projet ». Mais les bases d'une telle discussion nous paraissent devoir être préalablement assurées par une étude qui suive le parti pris délibérément théorique de Freud lorsqu'il introduit en psychanalyse la polarité biologique de la vie et de la mort, et qui, prolongeant les indications freudiennes en les interprétant, tente de retracer le destin de l'ordre vital (vie et mort) lorsqu'il se transpose au plan de l'appareil psychique.

Ce devenir-autre de la vie lorsqu'elle se symbolise au niveau humain, nous le suivrons en trois mouvements qui nous amèneront à examiner successivement la problématique de la sexualité, la problématique du moi, et la problématique de la pulsion de mort.

I

L'ORDRE VITAL ET LA GENÈSE
DE LA SEXUALITÉ HUMAINE

Notre référence pour parler de la sexualité en psychanalyse sera le texte fondamental de Freud, texte résolument innovateur : les « Trois essais sur la théorie de la sexualité ».

L'importance qu'y attache l'auteur se découvre dans les remaniements successifs qu'il y apporte : éditions de 1905, 1910, 1915, 1920, 1924-25, révisées chaque fois jusque dans le détail des phrases et de la terminologie, avec des ajouts qui conservent le plan de départ tout en faisant largement place aux découvertes successives. Des notes nombreuses, également, surtout pour le dernier remaniement, celui de 1924, contemporain de la « dernière théorie des pulsions ». C'est dans ces strates et ces reprises qu'on peut le mieux repérer l'évolution et l'enrichissement de la théorie de la sexualité. Mais puisque nous venons de faire allusion à un dernier tournant, à la dernière version — au sens où l'on peut dire qu'une « version » constitue également une façon de renverser une œuvre, un tournant — cette dernière version, inaugurée en 1920, ne s'inscrit que peu dans le texte lui-même, exception faite des notes. De sorte que, si l'on voulait se faire une idée approximative de ce qu'auraient pu être les « Trois essais » dans une mouture d'après 1920, c'est plutôt à un écrit comme l' « Abrégé de psychanalyse » de 1938, et notamment à son troisième chapitre, qu'on devrait se reporter. Et pourtant, même dans un texte tardif comme cet « Abrégé de psychanalyse », on saisit toute la difficulté qu'éprouve Freud à proposer une synthèse, comme si son dernier apport, celui de l'Éros et de la pulsion de mort, ne trouvait guère à s'intégrer dans la première notion de la sexualité.

C'est qu'en effet les « Trois essais » ne présentent pas une théorie abstraite de la pulsion en général, mais décrivent cette pulsion *par excellence* qu'est la pulsion sexuelle. Si bien que, sans prétendre rester fidèle (en une sorte de fausse synthèse éclectique), à *tout* ce que Freud a pu prononcer sur les pulsions, nous croyons néanmoins demeurer dans la ligne dominante de son inspiration en énonçant une thèse qui se retrouvera tout au long de nos développements : *c'est la sexualité qui représente le modèle de toute pulsion et probablement la seule pulsion au sens propre du terme.* Et s'il est bien vrai que, après 1920, Freud propose et soutient une théorie qui englobe *deux types* de pulsions et rattache la sexualité à l'un d'entre eux, à cette force biologique, voire cosmologique ; qu'il nomme alors Éros, c'est là que notre thèse semblera être ouvertement en contradiction avec la pensée freudienne, mais c'est là aussi, précisément, que les difficultés surgiront dans l'œuvre même de Freud.

En notre première étape, nous en resterons à la sexualité telle qu'elle constitue l'objet des « Trois essais ». Afin de saisir ce qui est là véritablement en cause, rien de plus instructif que de s'arrêter au plan même de l'ouvrage : un plan apparemment simple, en trois parties : les aberrations sexuelles — la sexualité infantile — les remaniements de la puberté. Cependant, si l'on tente de reconstituer une table détaillée des matières, on se trouve, en réalité, en présence d'une complication extrême. Bien sûr cette complexité est due, pour une part, aux interpolations datant des éditions successives, mais de plus, il existe une sorte de superposition de différents types d'ordonnance : un plan qu'on peut nommer heuristique (suivre la genèse de la découverte psychanalytique elle-même), un plan polémique (détruire la conception commune de la sexualité), un plan génétique (en suivre l'apparition chez l'individu humain). Nous tenterons d'entrevoir comment ces différents plans pourraient s'articuler, comment, notamment, le mouvement de la pensée, le plan heuristique, suit, comme dans toute pensée véritablement profonde, le mouvement de la « chose même » : vérité qu'il revient à Hegel d'avoir explicitée.

Le fil conducteur de notre étude sera la notion de *pulsion*, de *Trieb*, et le couple qu'elle forme avec un autre terme qui est celui d'*instinct*. S'il est vrai que la terminologie et surtout sa transposition d'une langue à une autre peuvent nous guider mais aussi nous égarer, les problèmes de traduction ont introduit, dans le cas présent, une confusion qui n'est pas près de s'éteindre. C'est pourquoi nous voudrions espérer que les remarques suivantes ne seront pas mises au seul compte de la méticulosité du traducteur. *Trieb* a souvent été traduit en français par instinct, transposé également par les psychanalystes de langue anglaise en « instinct » (1). Or nous rencontrons chez Freud, et en général dans la langue allemande, non pas un mais deux termes, deux « signifiants » pour employer une terminologie plus moderne. Deux signifiants donc, et on peut dire que dans la langue commune ils ont à peu près le même sens, de même que leurs étymologies sont parallèles : *Trieb* vient de *treiben*, pousser ; *Instinkt* trouve son origine dans la langue latine, de *instinguere* qui signifie également aiguillonner, pousser. Mais — processus très fréquent dans une langue et spécialement en allemand —

---

(1) Tout au moins par une partie des auteurs puisque certains, parmi les plus avertis, ont réservé à ce terme freudien de *Trieb* l'équivalent plus adéquat de « *drive* ».

lorsqu'il se trouve en présence d'un doublet de ce genre, un auteur qui aborde avec tout le sérieux qu'elles méritent les inflexions latentes du vocabulaire cherchera à utiliser cette duplicité objective pour y glisser quelque différence de sens, parfois à peine perceptible, mais parfois accentuée jusqu'à se constituer en une véritable opposition. C'est bien le cas avec *Trieb* (pulsion) et *Instinkt* (instinct) : deux termes l'un et l'autre employés par Freud même si, malheureusement, on n'a pas assez remarqué que son vocabulaire comportait justement ce terme d'*Instinkt*, et pour désigner tout autre chose que ce qui est décrit par ailleurs comme sexualité. L' « *Instinkt* », dans la langue de Freud, c'est un comportement préformé, dont le schème est héréditairement fixé et qui se répète selon des modalités relativement adaptées à un certain type d'objet. Plus important donc que l'étymologie, plus important même que les résonances sémantiques dans la culture allemande, nous découvrons un certain rapport des significations prises par les deux termes dans la pensée scientifique de Freud, rapport complexe, fait d'une *analogie*, d'une *différence*, et également d'une *dérivation* de l'un à l'autre. Dérivation qui n'est pas seulement conceptuelle mais qu'on peut, avec Freud, rapporter à une dérivation réelle : la dérivation de la pulsion chez l'homme à partir de l'instinct (1).

Leur analogie tout d'abord : elle repose sur un fond commun dans l'analyse du concept. L'analyse de la pulsion, telle qu'elle nous est présentée en ses éléments, est valable également, dans sa généralité, pour l'instinct. Cette analyse est esquissée, par approximations successives, au cours des différentes éditions des « Trois essais », mais pour en trouver un exposé plus systématique il faut se reporter à un texte

---

(1) Cf. LAPLANCHE (J.), *Dérivation des entités psychanalytiques.* In « Hommage à Jean Hyppolite. Paris P.U.F. 1970. »

ultérieur, « Pulsions et destins des pulsions » (1). Ici, la pulsion se trouve décomposée selon quatre dimensions, ou, comme l'exprime Freud, selon les quatre « termes en rapport avec le concept de pulsion » : la « poussée » *(Drang)*, le « but » *(Ziel)*, l' « objet » *(Objekt)* et la « source » *(Quelle)*.

La *poussée,* nous dit-il d'abord, est le facteur moteur de la pulsion, « la somme de force ou la mesure d'exigence de travail qu'elle représente. Le caractère poussant est une propriété générale des pulsions et même l'essence de celles-ci ». On retrouve de façon exemplaire dans ces quelques lignes la référence à la mécanique, et plus précisément à la dynamique, qui restera toujours centrale pour Freud. Le point de vue qu'on nomme, en psychanalyse, économique, est très précisément celui d'une « exigence de travail » : s'il y a travail, modification dans l'organisme, c'est qu'il y a une exigence à la base, une force, et, comme dans les sciences physique, la force ne peut se définir que par la mesure d'une quantité de travail. Définir la pulsion par sa poussée, le *Trieb* par son *Drang,* c'est, d'un point de vue épistémologique presque une tautologie : l'une n'est finalement que l'élément abstrait, hypostasié, de l'autre. Si bien que, pour anticiper sur ce qui va suivre, nous voudrions proposer l'hypothèse suivante : c'est seulement cet élément abstrait, le facteur économique, qui va rester invariant dans la dérivation qui nous fera passer de l'instinct à la pulsion.

Le *but* maintenant. C'est, nous dit Freud dans les « Trois essais », « l'acte auquel pousse la pulsion ». Donc, dans le cas d'un instinct préformé, c'est le montage moteur, la série d'actes, qui aboutit à un certain accomplissement. Quel est cet accomplissement ? Si l'on se reporte cette fois au texte des « Pulsions et destins des pulsions », on voit que cet accomplissement est toujours le même et finalement bien monotone, le

---

(1) Freud (S.), *Pulsions et destins des pulsions,* G.W., X, pp. 209-232. Trad. fr. in *Métapsychologie,* Paris, Gallimard, 1968, pp. 11-45.

seul but « final » est toujours la satisfaction, définie de la
façon la plus générale : c'est l'apaisement d'une certaine tension causée précisément par le *Drang*, par cette poussée dont
nous parlions à l'instant. La question se pose alors de savoir
quel est le rapport entre un but tout à fait général et, tout
comme la poussée, bien abstrait, l'apaisement de la tension, et d'autre part telle action cette fois très spécifique
et déterminée, qui est le but de tel ou tel instinct : manger,
voir (puisqu'il est question chez Freud de « pulsion de voir »),
faire l'amour etc... Le problème est celui de la spécification
du but : qu'est-ce qui fait qu'il est tel ou tel et non pas seulement l'apaisement qui représente le *but final*?

Si l'on poursuit cette analyse en s'appuyant sur les différents textes de Freud, on s'aperçoit que sans cesse le but
de la pulsion renvoie aux deux facteurs suivants : tantôt à
l'élément de l'objet, tantôt à celui de la source. L'objet,
dans la mesure où Freud, et à sa suite l'ensemble des psychanalystes, se sont peu à peu orientés vers la notion de « relation d'objet » qui représente une sorte de point de vue synthétique entre d'une part le type d'activité, le mode spécifique
de telle ou telle action pulsionnelle et d'autre part son objet
privilégié. Ainsi l'oralité, pour prendre le premier exemple pulsionnel, implique à la fois un certain mode de relation,
disons : l'incorporation, et un certain type d'objet, l'objet
qui est précisément susceptible d'être avalé, incorporé. Nous
rencontrons ici la première explicitation possible de la
notion de but, sa spécification par l'objet, sa relation avec
l'objet : ce qui ouvre sur une perspective essentiellement
intersubjective. L'autre spécification du but de la pulsion
c'est sa spécification par la *source* ; et là, apparemment,
(nous verrons bientôt que la théorie est en réalité plus complexe) c'est une orientation beaucoup plus biologisante et
plus vitaliste qui semble prévaloir.

Examinons donc plus en détail ces deux concepts, celui
de l'*objet* et celui de la *source*. Objet de la pulsion? Pour

écarter rapidement certains malentendus rappelons d'abord que cet objet n'est pas nécessairement un objet inanimé ou une chose : l'*Objekt* freudien ne s'oppose pas, dans son essence, à l'être subjectif. Ce n'est pas une « objectivation » de la relation amoureuse qui est visée par là. Si dans le langage classique du xvII^e siècle, ce terme était déjà employé pour désigner ce qui est visé par la passion — « flamme », « ressentiment » ... —, c'est en ce sens tout à fait large qu'il faut entendre notre « objet ». Cependant notre mise en garde contre une conception vulgarisée de l'objet d'amour (« tu me traites comme un objet », dit-on couramment) ne doit pas aller sans nuances. Pour s'en apercevoir, il n'est que de suivre le mouvement de sa « définition » dans les « Trois essais ». Provisoirement, dans l'introduction, l' « objet sexuel » est défini comme « la personne qui exerce un attrait sexuel » (1). Mais l'analyse des aberrations sexuelles aboutit à inverser ce point de vue :

« Nous sommes maintenant avertis de l'erreur que nous avions faite en établissant des liens trop intimes entre la pulsion sexuelle et l'objet sexuel. L'expérience nous apprend, dans les cas que nous considérons comme anormaux, qu'il existe entre la pulsion sexuelle et l'objet sexuel une soudure que nous risquons de ne pas apercevoir dans la vie sexuelle normale, où la pulsion semble déjà contenir par elle-même son objet. Cela nous engage à dissocier, jusqu'à un certain point, la pulsion et l'objet. Il est permis de croire que la pulsion sexuelle existe d'abord indépendamment de son objet, et que son apparition n'est pas déterminée par des excitations venant de l'objet. » (2)

Ainsi, malgré nos réserves, le terme d'objet fait apparaître d'abord celui-ci comme un moyen : « Ce en quoi et par

---

(1) FREUD (S.), *Trois essais sur la théorie de la sexualité*, G.W., V, p. 34. Trad. Fr. Paris, Gallimard, 1962, p. 18.
(2) *Ibid.*, G.W., V, pp. 46-47. Trad. Fr. p. 31.

quoi le but est atteint. » (1) Il y a priorité de la satisfaction et de l'action satisfaisante par rapport à ce « en quoi » cette action trouve sa terminaison. Ce qui nous amène à un problème bien connu dans la réflexion psychanalytique, et qui se résume dans le terme de « contingence » de l'objet. Dans la mesure où l'objet est ce « en quoi » le but trouve à se réaliser, peu importe après tout la spécificité, l'individualité de l'objet ; il suffit qu'il ait certains *traits* qui permettent à l'action satisfaisante de se déclencher ; en lui-même, il reste relativement indifférent, contingent.

Autre dimension de l'objet en psychanalyse, c'est qu'il n'est pas nécessairement un objet au sens de la théorie de la connaissance, soit un objet « objectif ». Il y aurait là à distinguer nettement deux significations qui malheureusement, dans la théorie psychanalytique moderne, restent trop souvent dans un état de coalescence : la notion d'objectivité au sens de la connaissance et la notion d'objectalité où l'objet, cette fois, est objet de la pulsion et non pas objet perceptif ou scientifique. Tout ceci pour souligner que l'objet de la pulsion peut être, de plein droit, un objet *fantasmatique* et qu'il l'est peut-être même en priorité.

Enfin, pour clore cette série de mises au point, soulignons que l'objet n'est pas nécessairement une personne « totale » ; ce peut être un objet *partiel* comme nous disons maintenant, terme qui a été introduit notamment par Melanie Klein, mais qui se trouve déjà au cœur de la pensée freudienne et ceci très tôt. Objets partiels : le sein, le pénis et bien d'autres parties du corps, bien d'autres éléments en rapport avec le vécu corporel (excréments, enfant...), qui ont en commun le trait fondamental d'être, réellement ou fantasmatiquement, *séparés* ou *séparables*.

Pour en terminer avec cette décomposition de la notion

---

(1) FREUD (S.), *Pulsions et destins des pulsions*, G.W., X, p. 215. Trad. fr. in : *Métapsychologie*, Paris Gallimard, 1968, p. 19.

de pulsion, c'est le terme de « *source* » qui nous arrêtera le plus longtemps. Si, dans les « Trois essais », la définition de la source — nous le verrons bientôt — est relativement riche et ambiguë, dans le texte « Pulsions et destins des pulsions » auquel nous nous référons parallèlement, elle est au contraire univoque : la « *Quelle* » est un processus somatique inconnu mais en droit connaissable, une espèce d'X biologique dont la traduction psychique serait précisément la pulsion. Par source de la pulsion on entend « le processus somatique qui est localisé dans un organe ou une partie du corps, et dont l'excitation est représentée dans la vie psychique par la pulsion ». (1) Nous relevons ici ce terme de « représenté », articulation fondamentale de la métapsychologique freudienne que les limites du présent exposé ne nous permettent pas de commenter : notons seulement que le modèle le plus courant employé par Freud pour rendre compte de la relation entre le somatique et le psychique utilise la métaphore d'une sorte de « délégation », pourvue d'un mandat qui ne serait pas absolument impératif. Donc une excitation locale, biologique, trouve sa délégation, sa « représentance » dans la vie psychique, comme pulsion. Nous ne savons pas si le processus somatique en cause est strictement de nature chimique, ou, s'il peut correspondre aussi à une libération d'autres forces, mécaniques par exemple : l'étude des sources pulsionnelles, conclut Freud, « déborde le champ de la psychologie et finalement le problème serait à résoudre par la biologie » (2). Nous retrouvons ainsi le problème central pour notre présente réflexion : celui de la relation à la science de la vie.

Nous en reviendrons bientôt à la question de la source, qui nous parait être particulièrement intéressant comme point d'articulation entre instinct et pulsion. Pour l'instant,

---

(1) FREUD (S.), *Pulsions et destins des pulsions*, G.W., X, p. 215. Trad. fr., Paris, Gallimard, 1968, pp. 19-20.
(2) *Ibid.*, G.W., X, pp. 215-216. Trad. fr., p. 20.

avant de nous interroger sur cette *articulation*, nous insisterons d'abord sur *l'analogie* qui peut exister, du point de
vue de nos quatre « éléments », entre l'instinct et la pulsion ;
ou bien, ce qui revient au même, nous mettrons l'accent
sur la généralité des définitions de la poussée, de l'objet,
du but et de la source, généralité qui permet de les appliquer
aussi bien à l'instinct qu'à la pulsion. C'est là, à notre
sens, la gageure du texte « Pulsions et destins des pulsions »,
c'est là aussi son piège pour un lecteur non prévenu : cet
essai veut traiter de *la pulsion en général*, non seulement de
la pulsion sexuelle mais de tous les « groupes de pulsions »,
en englobant donc également ces « pulsions du moi » ou « pulsions d'auto-conservation » dont nous aurons tantôt à examiner si la dénomination de « pulsions » leur est légitimement
appliquée. Traiter de tout « *Trieb* » en général c'est procéder
d'une façon nécessairement abstraite. Traiter de la pulsion
en général c'est la biologiser, c'est en donner une analyse
valable *aussi* pour les comportements dits instinctuels. Et
nous n'en voulons précisément pour témoignage que la
validité de ces concepts pour les analyses modernes dans le
champ de la psychologie animale ou de l'éthologie. Finalement les recherches modernes des psychologues de l'animal,
notamment l'école de Lorenz, utilisent d'une façon tout à
fait extensive, même s'ils ne font pas toujours référence à
Freud, des concepts analogues aux siens ; ils utilisent notamment la notion de « poussée », puisque le *modèle hydraulique*,
qui est le plus généralement avancé par Freud pour rendre
compte du facteur économique, est repris expressément
par eux. La notion d'un objet qui serait à la fois contingent
et, d'un certain point de vue, spécifique, se retrouve dans
la notion de déclencheur de l'acte spécifique, ce déclencheur
étant conçu comme une constellation perceptive capable
de relâcher (*release*) tel mécanisme parce qu'elle comporte
certains traits tout à fait déterminés. On sait que c'est par
l'emploi de leurres perceptifs dont on fait varier les diffé-

rentes caractéristiques qu'on est arrivé à définir de façon précise certains de ces déclencheurs. Enfin la notion de *but* est également présente dans l'analyse des éthologistes sous la forme d'un comportement fixé, suite de réactions en chaîne aboutissant finalement à une décharge durable de la tension, cycle susceptible d'être arrêté à telle ou telle étape si le mécanisme suivant n'apparaît pas parce que le déclencheur suivant n'a pas été présenté.

Après avoir insisté sur la valeur *générale* de ces définitions freudiennes, généralité qui comporte à la fois un aspect négatif, puisque ces définitions peuvent paraître abstraites, mais en même temps un aspect positif puisque ces notions ont pu se recouper avec celles d'une science tout à fait concrète, l'éthologie, nous en reviendrons aux « Trois essais », et à leur première page qui présente une description lapidaire de la conception « populaire » de la sexualité. Ainsi commencent les « Trois essais » :

« La constatation des besoins sexuels de l'homme et de l'animal se traduit, en biologie, par l'hypothèse d'une « pulsion sexuelle ». On se laisse là guider par l'analogie avec la pulsion de nutrition, la faim. La langue commune manque d'un terme correspondant au mot « faim » ; la science utilise ici le mot de « libido ».

« L'opinion populaire se fait des idées bien arrêtées sur la nature et les caractères de la pulsion sexuelle. Il est convenu de dire que cette pulsion manque à l'enfance, qu'elle s'installe au moment de la puberté et en rapport étroit avec le processus de maturation, qu'elle se manifeste sous la forme d'une attraction irrésistible exercée par l'un des sexes sur l'autre et que son but serait l'union sexuelle ou du moins les actions qui mènent à celle-ci (1). »

______

(1) FREUD (S.), *Trois essais sur la théorie de la sexualité*, G.W., V, p. 33. Trad. fr., Paris, Gallimard, 1962, p. 1.

Cette conception « populaire » est, en même temps, une conception biologisante où la sexualité, la *pulsion* sexuelle, est conçue sur le modèle de l'*instinct*, de la réponse à un besoin naturel, dont le paradigme est la faim (si l'on veut bien nous permettre d'utiliser ici, de façon plus systématique que chez Freud, le couple de termes : pulsion-instinct). Ce besoin, dans le cas de la sexualité, apparaîtrait sur la base d'un processus de maturation, un processus d'origine essentiellement interne où le moment physiologique de la puberté apparaît comme déterminant ; ce serait donc un comportement étroitement déterminé par sa « source », avec un « objet » fixe et bien précis, puisque la sexualité viserait seulement et uniquement, d'une façon prédéterminée de toute éternité, l'autre sexe ; enfin son « but » serait également fixé : « L'union sexuelle ou du moins les actions qui mènent à celle-ci. » Il nous faut donc insister sur le fait que la « conception populaire », que Freud résume là pour l'exposer ensuite à ses coups, coïncide avec une image qui peut sembler scientifique, au sens de la science de la vie, une image qui, finalement, est peut-être tout à fait valable, tout au moins dans d'autres domaines que celui de la sexualité humaine. Si nous faisons maintenant retour au plan des « Trois essais », nous comprendrons mieux, désormais, de quelle façon ce plan se façonne, en son mouvement, sur l'objet même de l'ouvrage : tout ce plan se comprend en fonction d'une certaine « destruction » (peut-être au sens d'une « *Aufhebung* » hégélienne) de cette image « populaire » — mais aussi biologisante — de la sexualité. Trois chapitres, rappelions-nous tout à l'heure : « les aberrations sexuelles », et l'on pourrait donner en sous-titre à ce premier chapitre, l'*instinct perdu*. Deuxième chapitre : « la sexualité », et nous commentons : *genèse de la sexualité humaine*. Enfin troisième chapitre : « les remaniements de la puberté » ; peut-être, pourrait-on dire, en un certain sens : l'instinct retrouvé ?

Sans doute, mais retrouvé à un autre niveau. Plutôt que retrouvé nous préférons proposer provisoirement une formule comme : *l'instinct mimé.*

Sur le premier « Essai » nous passerons rapidement, et seulement pour situer le second qui fait l'objet essentiel de notre présente étude. Il nous présente un défilé polémique, quasi apologétique, des aberrations sexuelles. Il s'agit de détruire, à travers une description des perversions, les notions communes de *but* et d'*objet spécifiques.* Revue qui d'ailleurs ne se signale pas nécessairement par la rigueur scientifique ni par le caractère exhaustif de l'explication. Il n'y a pas lieu de chercher dans les « Trois essais » l'alpha — et en tout cas certainement pas l'oméga — de la théorie psychanalytique sur les perversions. L'essentiel pour Freud est de montrer à quel point leur champ est étendu, quasi universel, et comment leur existence détruit toute idée d'un but et d'un objet déterminés pour la sexualité humaine. La sexualité, peut-on dire à la suite de ce premier chapitre, donne l'apparence chez l'adulte, chez l'adulte dit normal, d'un instinct, mais ce n'est là que le résultat précaire d'une évolution historique qui à chaque tournant de son évolution, peut bifurquer différemment pour donner naissance aux aberrations les plus étranges.

Notre réflexion sur le second « Essai » se centrera sur un passage qui nous paraît dégager l'essentiel, en ceci qu'il redéfinit la sexualité en fonction de ses origines infantiles. Il s'agit de la conclusion d'un chapitre qui s'intitule « les manifestations de la sexualité chez l'enfant » :

Le suçotement [pris comme modèle de la sexualité orale] nous a fait connaître les trois caractères de la sexualité infantile. Celle-ci se développe *en s'étayant* sur une fonction corporelle essentielle à la vie ; elle ne connaît pas encore d'objet

---

(1) *Ibid.*, G.W., V, p. 83. Trad. fr., p. 76. Entre crochets : remarque de J. Laplanche.

sexuel, elle est *auto-érotique*, et son but est déterminé par l'activité d'une *zone érogène* (1). »

Notons dès à présent que ces trois caractères se retrouveront dans la plupart des manifestations érotiques de l'enfance et qu'ils vont même déborder largement la sexualité de *l'âge* infantile, marquant définitivement toute la sexualité humaine. La définition fait appel à trois notions originales et complexes : la notion d'*étayage*, la notion d'*auto-érotisme*, enfin la notion de *zone érogène*.

Nous examinerons d'abord les deux premières qui sont étroitement solidaires ; c'est en effet par leur jeu combiné que Freud entend rendre compte de la genèse même de la sexualité.

Etayage : le lecteur de langue française sera peut-être surpris d'entendre qu'il s'agit là d'un terme fondamental de l'appareil conceptuel freudien. Dans les traductions actuelles de Freud, aussi bien en français que dans l'excellente « *Standard Edition* » anglaise, la seule trace du concept freudien est l'emploi sporadique et mal justifié d'un adjectif tiré du grec : « anaclitique ». Un travail de réflexion sur la terminologie freudienne (1), une entreprise de retraduction de l'œuvre de Freud, nous ont amenés à choisir, à la suite de la traductrice qui l'avait déjà employé sans en systématiser l'usage (2), le terme d'étayage et ses dérivés. Si nous avons adopté ce terme, c'est bien qu'il était nécessaire de dégager, ce que personne n'avait pleinement fait, la valeur conceptuelle rigoureuse que prend chez Freud le mot allemand « *Anlehnung* », qui signifie justement prendre appui, prendre étai sur autre chose. Nous avons tenté par là de rendre son relief et ses résonances à une notion longtemps obscurcie soit par des traductions plus soucieuses d'élégance

---

(1) Laplanche (J.) et Pontalis (J. B.), *Vocabulaire de la psychanalyse*, Paris, P. U. F., 1967.

(2) Mme Reverchon-Jouve, dès sa première traduction des *Trois essais*, (1923).

que de rigueur, soit par l'emploi d'un terme pseudo-scientifique, trop savant et trop peu « parlant » : celui d'anaclitique. De plus, l'adjectif « anaclitique » s'est trouvé gauchi, à son tour, par toute une tradition psychanalytique prenant origine en un point qui est déjà, en réalité, un point dérivé. En effet, ce terme « anaclitique » a été introduit par les traducteurs à propos d'un texte bien plus tardif que les « Trois essais », le texte sur le « Narcissisme » (1914) où Freud oppose deux types de « choix d'objet », deux façons dont le sujet humain fait élection de ses objets d'amour : un type « narcissique » de choix d'objet, où l'homme choisit l'objet aimé à sa propre image, et un choix d'objet « anaclitique » (« *Anlehnungstypus* », dit le texte allemand), où cette fois (c'est du moins ainsi qu'on a interprété, un peu rapidement, les choses) la sexualité s'appuie sur l'objet de la fonction d'auto-conservation. Ainsi le terme d'étayage, a été compris, dans cette tradition, comme un appui sur *l'objet*, et finalement un *appui sur la mère*. On entrevoit par là comment toute une théorie de la relation à la mère est venue infléchir une notion destinée à rendre compte de la sexualité dans son émergence. En effet, si l'on examine de plus près cette notion, on s'aperçoit qu'elle ne désigne nullement, à l'origine, l'appui du sujet sur l'objet (de l'enfant sur la mère) même si par ailleurs, un tel « appui » est constatable. Ce qui est décrit par Freud c'est un phénomène d'appui *de la pulsion*, le fait que la sexualité naissante s'étaye sur un autre processus à la fois similaire et profondément divergent : la pulsion sexuelle s'étaye sur une fonction non-sexuelle, vitale ou, comme le formule Freud en des termes qui défient tout autre commentaire, sur une « fonction corporelle essentielle à la vie ». On admettra donc que nous nous éloignons fort peu de la pensée freudienne, que nous ne faisons que la préciser, en disant que ce qui est décrit comme étayage c'est un *appui, à l'origine*, de la sexualité infantile sur l'instinct, si l'on entend par instinct

ce qui oriente cette « fonction corporelle essentielle à la vie » ;
dans le cas particulier qui est en premier analysé par Freud,
il s'agit de la faim et de la fonction d'alimentation. Sans
que la cohérence terminologique soit absolument systématique dans les écrits freudiens, on va néanmoins trouver,
d'une façon suffisamment motivée pour que nous puissions
à notre tour y prendre « appui », les termes de fonction, de
besoin et d'instinct pour marquer généralement le registre
vital ou registre de l'auto-conservation par opposition au
registre sexuel.

Avec *l'étayage de la pulsion sur la fonction* il ne s'agit
pas d'une genèse abstraite, d'une déduction quasi métaphysique, mais d'un processus qui est décrit avec la plus
grande précision sur l'exemple qui en demeure l'archétype,
celui de l'oralité. Dans l'oralité, nous est-il montré, on peut
dégager deux temps : celui de la succion du sein, puis celui
qui se caractérise par le « suçotement », bien différent de
la succion. Au premier temps, celui de la succion du sein
dans l'alimentation, nous sommes en présence d'une fonction
ou, pour reprendre les distinctions rappelées plus haut,
d'un comportement instinctuel complet, si complet, nous
l'avons vu, que c'est justement la faim, le comportement
alimentaire, que la « conception populaire » se donne comme
le modèle de tout instinct. Un comportement instinctuel
avec sa « poussée », et cette fois-ci nous serions mieux en
mesure de préciser ce qui se cache derrière cet « X » énergétique, nous sommes capables à la suite des psychophy-
siologistes de rapporter à tel déséquilibre humoral ou
tissulaire cet état de tension qui correspond subjectivement à l'impression de faim. Donc une « poussée », une
accumulation de tension ; une « source » aussi, disons le
système digestif, avec, de façon plus localisée et plus spé-
cialisée, des points où est spécialement ressentie l'appétence.
Nous avons l'apport d'un « objet » spécifique... Allons-nous
dire que c'est le sein ? eh bien, non ce n'est pas le sein qui

procure la satisfaction, mais la nourriture, le lait. Enfin un processus tout monté ou « but », le processus de la succion que des observateurs se sont attachés à décrire avec beaucoup de précision : recherche du mamelon, tétée, relâchement de la tension, apaisement.

Or le point crucial, c'est qu'en même temps que ce fonctionnement alimentaire se satisfaisant de la nourriture, commence à apparaître un processus sexuel. Parallèlement à l'alimentation, il y a excitation des lèvres et de la langue par le mamelon et le flux de lait chaud. Cette excitation est d'abord modelée sur la fonction au point qu'entre les deux, il est à peine possible au départ de saisir une différence. L'objet ? Il semble être fourni au niveau de la fonction. Sait-on encore si c'est le lait, sait-on si c'est déjà le sein ? La source ? elle est déterminée, elle aussi, par l'alimentation, puisque les lèvres font aussi partie du système digestif. Le but, lui aussi, est bien proche du but alimentaire. Finalement objet, but et source, sont étroitement enserrés en une proposition toute simple qui permet de décrire ce qui se passe : « ça entre par la bouche ». « Ça » : c'est l'objet : « entre » c'est le but, et qu'il s'agisse de but sexuel ou de but alimentaire, le processus est de toute façon un « entrer » ; « par la bouche » : au niveau de la source se retrouve la même duplicité, la bouche est à la fois organe sexuel et organe de la fonction alimentaire.

Ainsi l'étayage consiste d'abord en cet appui que trouve la sexualité naissante, dans un fonctionnement lié à la conservation de la vie. Nous ne saurions mieux conclure qu'en citant un autre passage de Freud consacré à l'activité orale-érotique de l'enfant :

« Il est aisé, de voir dans quelle circonstance l'enfant a, pour la première fois, éprouvé ce plaisir qu'il cherche maintenant à renouveler. C'est l'activité initiale et essentielle à la vie de l'enfant qui l'a familiarisé avec ce plaisir, la succion du sein maternel (ou de ce qui le remplace). Nous dirons que les lèvres de l'enfant ont joué le rôle de *zone érogène* et que l'excitation provoquée par l'afflux du lait chaud a été la cause du plaisir. Au début la satisfaction de la zone érogène fut étroitement liée à la satisfaction du besoin alimentaire. L'activité sexuelle s'est tout d'abord étayée sur une fonction servant à conserver la vie dont elle ne s'est rendue indépendante que plus tard. Quand on a vu l'enfant rassasié abandonner le sein, retomber dans les bras de sa mère, et les joues rouges, avec un sourire heureux, s'endormir, on ne peut manquer de dire que cette image reste le modèle et l'expression de la satisfaction sexuelle qu'il connaîtra plus tard. Mais bientôt le besoin de répéter la satisfaction sexuelle se séparera du besoin de nutrition (1).»

Au cours même de l'acte d'allaitement, on peut donc déceler l'étayage dans une satisfaction finale qui prend déjà l'allure de l'orgasme ; mais surtout, en un temps immédiatement ultérieur, on assiste à une séparation de l'une et de l'autre, puisque la sexualité, tout entière d'abord appuyée sur la fonction, est en même temps tout entière *dans le mouvement qui la dissocie* d'avec la fonction vitale. En effet, le prototype de la sexualité orale n'est pas la succion du sein, ce n'est pas, d'une façon générale, la succion mais ce qui est dénommé par Freud, à la suite des travaux de Lindner, *das Ludeln oder Lutschen* (en français : *suçotement*). Désormais, l'objet est abandonné, le but et aussi la source prennent leur autonomie par rapport à l'alimentation et au système digestif. Avec le suçotement nous arrivons au second « caractère » annoncé plus haut, qui est aussi un « moment », étroitement lié à l'étayage qui le précède : l'auto-érotisme.

Auto-érotisme : Freud emprunte ce terme aux sexologues

---

(1) FREUD (S.), *Trois essais sur la théorie de la sexualité*, G.W., V, p. 82. Trad. fr., pp. 74-75.

de son époque, notamment à Havelock Ellis, mais il lui confère une portée toute nouvelle. Il le définit essentiellement par l'absence d'objet (*Objektlosigheit*) : « c'est une activité sexuelle qui n'est pas dirigée sur une autre personne. » Or une telle définition nous amène aussitôt à souligner que, si la notion d'auto-érotisme va remplir une fonction extrêmement importante dans la pensée de Freud, elle va, en même temps, mener à une grande aberration de la pensée psychanalytique, et, peut-être, à une certaine aberration de la pensée freudienne elle-même, concernant « l'objet » et l'absence primitive d'objet. Il va s'agir, dans cette perspective, de faire sortir l'objet comme *ex nihilo*, par un coup de baguette magique, d'un état initial considéré comme absolument « anobjectal ». Il faudrait donc « ouvrir » l'individu humain à son monde — choses aussi bien qu'autres individus — à partir de ce que nous nommerions volontiers une espèce d'état d'idéalisme biologique, encore plus impensable que le solipsisme philosophique. Faire sortir l'objet d'un état sans objet, cela semble à certains psychanalystes si peu possible qu'ils n'hésitent pas à affirmer — réaction qui est peut-être louable dans ses intentions mais qui ne fait que les mener à une autre erreur — que la *sexualité*, comme telle, a d'emblée un objet. C'est la position d'un auteur psychanalytique comme Balint, qui s'efforce, à grands renforts d'arguments souvent séduisants, de montrer qu'il existe un « amour primaire de l'objet » chez l'enfant (1). Si bien que, désormais, toute discussion psychanalytique concernant l'objet se trouve enfermée dans cette alternative : ou bien absence totale de l'objet chez l'individu humain, ou bien présence d'emblée d'un objet *sexuel*. Quelle voie trouver qui nous libère de cette fausse aporie ? La sortie

---

(1) Balint (M.), *Primary love and psycho-analytic technique.* Et notamment : « *Early Developmental States of the Ego. Primary Object love* », The Hogarth Press, London, 1952.

nous est indiquée à quelques reprises, dans des passages qui correspondent à des moments de particulière lucidité de la pensée freudienne. Quand nous disons « particulière lucidité » c'est pour rappeler que certaines découvertes peuvent être oubliées, éclipsées, refoulées par leur auteur : nous en avons des exemples nets chez Freud lui-même, et notamment concernant le point qui nous occupe.

Voici un passage essentiel qui se trouve plus loin, dans le troisième Essai, mais qui résume les thèses du second Essai :

« A l'époque où la satisfaction sexuelle dans ses tout premiers commencements était liée à l'absorption des aliments [il s'agit là du temps de l'étayage], la pulsion sexuelle avait son objet sexuel au dehors du corps propre, dans le sein de la mère. Cet objet n'a été qu'ultérieurement perdu, peut-être précisément au moment où l'enfant est devenu capable de former une représentation d'ensemble de la personne à laquelle appartenait l'organe qui lui apporte une satisfaction. En règle générale, la pulsion sexuelle devient, dès lors, auto-érotique [*l'auto-érotisme n'est donc pas le temps primaire*], et ce n'est qu'une fois surmontée la période de latence que le rapport originel se rétablit. Ce n'est pas sans raison que l'enfant suçant le sein de sa mère est devenu le prototype de toute relation amoureuse. Trouver l'objet sexuel, c'est, à proprement parler, le retrouver (1).

Un tel texte sonne bien différemment de toute cette grande fable de l'auto-érotisme comme état d'absence primaire et totale d'objet, état à partir duquel il faudrait *trouver* un objet ; l'auto-érotisme est, au contraire, un temps second, un temps de perte de l'objet. Perte de l'objet « partiel », disons-nous, puisqu'il s'agit de perte du

---

(1) Freud (S.), *Trois essais sur la théorie de la sexualité*, G.W., V, p. 123. Trad. fr., p. 132. Les remarques entre crochets sont de J. Laplanche.

sein, et Freud apporte ici cette notation précieuse, que, peut-être, l'objet partiel est perdu au moment où commence à se profiler l'objet total, la mère comme personne. Mais surtout, si un tel texte doit être pris au sérieux, il signifie que *d'une part il y a d'emblée un objet mais que d'autre part la sexualité n'a pas d'emblée un objet réel.* Comprenons bien que l'objet réel, le lait, était l'objet de la fonction, celle-ci étant comme pré-ordonnée au monde de la satisfaction. C'est cet objet réel qui a été perdu, mais l'objet qui est lié au rebroussement auto-érotique, le sein — devenu sein fantasmatique — est, lui, l'objet de la pulsion sexuelle. Ainsi l'objet sexuel n'est pas identique à l'objet de la fonction, il est déplacé par rapport à lui, il est dans un rapport de *contiguïté* tout à fait essentiel qui nous fait glisser insensiblement de l'un à l'autre, du lait au sein comme son symbole. « Trouver l'objet » — ainsi Freud conclut-il en une formule devenue célèbre — « trouver l'objet sexuel, c'est, à proprement parler, le retrouver », ce que nous commentons ainsi : l'objet à retrouver n'est pas l'objet perdu mais son substitut par déplacement, l'objet perdu c'est l'objet d'auto-conservation, c'est l'objet de la faim, et l'objet que l'on cherche à retrouver dans la sexualité est un objet déplacé par rapport à ce premier objet. D'où, évidemment, l'impossibilité de finalement jamais retrouver l'objet puisque l'objet qui a été perdu *n'est pas le même* que celui qu'il s'agit de retrouver. C'est là le ressort du « leurre » essentiel qui se situe au départ de la recherche sexuelle.

Le *but* sexuel, lui aussi, est dans une position tout à fait spéciale par rapport au but de la fonction alimentaire ; il est à la fois le même et différent. Le but de l'alimentation était l'ingestion, or, en psychanalyse, nous parlons d'incorporation. Les termes peuvent paraître bien proches, et pourtant ils sont décalés l'un par rapport à l'autre. Avec l'incorporation, le but est devenu scénario d'un fantasme, scénario qui emprunte à la fonction son registre, son langage, mais qui ajoute à l'ingestion toutes les implications qui sont ce qu'on réunit sous le terme de « cannibalisme », avec des significations telles que : conserver en soi, détruire, assimiler. D'autre part, l'incorporation généralise l'ingestion en toute une série de relations possibles ; il ne s'agit plus seulement de l'ingestion alimentaire puisqu'on peut concevoir une incorporation se produisant dans d'autres systèmes corporels que l'appareil digestif : aussi bien parlons-nous, en psychanalyse, d'une incorporation au niveau des autres orifices corporels, au niveau de la peau ou encore, par exemple, au niveau des yeux. Parler d'une incorporation par le regard peut permettre d'interpréter certains symptômes. Ainsi, du but de la fonction au but sexuel, il existe un passage qui peut encore se définir comme un certain déplacement, un déplacement qui, cette fois, suit une ligne analogique, métaphorique, et non plus une chaîne associative par contiguïté.

Enfin, avant de quitter ce destin du but dans l'étayage, il faut noter que nous trouvons, à côté de cette action ou de ce scénario fantasmatique (l'incorporation, dans le cas de l'oralité), un autre type de but, lié sans doute à ce scénario mais beaucoup plus localisé, beaucoup moins « dialectique », celui du « plaisir sur place », celui de la jouissance du suçotement. Entre le but fantasmatique de l'incorporation et ce but beaucoup plus local et beaucoup moins délié qu'est l'excitation des lèvres, il existe nécessairement toute une relation que nous aurons à réexaminer.

Reste le problème de la *source*. Nous avons noté tout à l'heure qu'il s'agissait peut-être là de la question centrale, s'il est vrai que ce que nous étudions actuellement c'est l'*origine*, donc précisément *la source de la sexualité*. Soulignons qu'il ne s'agit pas là seulement d'un jeu de mots, ni pour nous ni chez Freud, car nous rencontrons dans les « Trois essais » deux sens du mot *source*, avec de l'un à l'autre un passage qu'il convient de suivre. En un premier temps, la source est prise d'abord dans l'acception la plus concrète et la plus locale du terme, comme *zone érogène* : toujours dans le cas de l'oralité, la zone labiale excitée au moment du passage du lait. Comme s'il existait donc un montage biologique qui fasse « sourdre » la sexualité de certaines zones prédestinées, de la même façon que certains montages physiologiques font naître le besoin alimentaire de certaines tensions locales ; nous avons donc là l'idée d'une source au sens d'un processus purement physiologique. Mais nous rencontrons un autre sens du terme, qui est au moins aussi intéressant, bien qu'en même temps beaucoup plus général. Nous passons progressivement de la zone érogène, comme *lieu* privilégié de l'excitation, à toute une série beaucoup plus étendue de processus. Déjà dans le texte des « Trois essais », mais encore plus à mesure que la réflexion freudienne s'élargit à la faveur de l'expérience clinique, on s'aperçoit que cette capacité d'être le point de départ d'une excitation sexuelle n'est nullement le privilège de ces zones successivement décrites comme lieux de la sexualité orale, anale, uréthrale ou génitale. En effet ce ne sont pas uniquement ces zones bien localisées du revêtement cutanéo-muqueux mais toute région cutanée qui est susceptible d'être le point de départ d'une excitation sexuelle. A un stade ultérieur de réflexion, Freud posera que n'est pas seulement érogène (producteur d'excitation sexuelle) toute région cutanée, mais tout organe, fût-ce un organe interne ; il s'appuie là, notamment sur l'interprétation du symptôme hypocondriaque (1). Puis en élargissant encore, on en arrive à dire que c'est toute fonction, et finalement toute activité humaine qui peut être érogène. Nous nous appuyons là sur un chapitre des « Trois essais » qui traite des « sources indirectes » de la sexualité pour nous apercevoir cette fois que, loin d'être seulement un processus biochimique *localisable* dans un

---

(1) FREUD (S.), *Pour introduire le narcissisme*, G.W., X, pp. 149-150. Trad. fr., in *La vie sexuelle*, Paris, P.U.F., 1969, pp. 89-90.

organe ou dans quelques cellules différenciées, la « source »
de la sexualité peut être un processus aussi général que
l'excitation mécanique du corps dans son ensemble ; pensons
par exemple au bercement de l'enfant ou à l'excitation
sexuelle qui peut naître d'ébranlements rythmés comme au
cours d'un voyage en chemin de fer ; pensons à l'excitation
sexuelle liée à l'activité musculaire, notamment à l'activité
sportive. Puis d'une façon encore plus vaste, Freud en arrive
à soutenir que le travail intellectuel intense peut être lui-
même au point de départ d'une excitation sexuelle — fait
que vérifie la plus banale observation clinique. Il en va de
même pour des processus aussi généraux que les affects,
notamment les affects « pénibles » ; ainsi un état d'angoisse
brusquement apparu déclenchera, fréquemment, une excitation sexuelle. Nous aurons d'ailleurs l'occasion, dans un pro-
chain développement consacré au masochisme, de revenir sur
l'affect pénible comme « source indirecte » de la sexualité.

Voici, sur ce point, la conclusion de Freud :

« ... L'excitation sexuelle se produit comme effet marginal
[retenons bien ce terme, effet marginal : *Nebenwirkung* ; c'est
en effet lui qui définit l'étayage dans son double mouvement
d'appui puis de détachement, de déviation] de toute une série
de processus internes [excitations mécaniques, activité musculaire, travail intellectuel etc.] dès que l'intensité de ces
processus a dépassé certaines limites quantitatives. Ce que
nous avons nommé pulsions partielles de la sexualité ou bien
dérive directement de ces sources internes de l'excitation
sexuelle, ou bien représente un effet combiné de ces mêmes
sources et de l'action des zones érogènes. » (1)

On voit ici la priorité donnée par Freud, non pas à la
source au sens étroitement physiologique, mais à la
source au sens dit « indirect », au sens d'une « source

---

(1) FREUD (S.), *Trois essais sur la théorie de la sexualité*, G.W., V, p. 106.
Trad. fr., pp. 104-105. Les remarques entre crochets sont de J. Laplanche.

interne » qui ne fait finalement que traduire le retentissement sexuel de tout ce qui se passe dans l'organisme au-delà d'un certain seuil quantitatif. L'intérêt de cette redéfinition de la source réside en ce que toute fonction, tout processus vital, peut « secréter » de la sexualité, en ce que tout ébranlement y participe. La sexualité est tout entière dans la légère déviation, dans le *clinamen* à partir de la fonction... Elle est dans ce clinamen, mais dans la mesure où celui-ci aboutit à l'intériorisation auto-érotique.

Quelle est finalement la source de la pulsion ? Dans cette perspective, on peut dire que c'est l'*instinct* tout entier. L'instinct tout entier avec lui-même sa « source », sa « poussée », son « but » et son « objet » tels que nous les avons définis, l'instinct, armes et bagages avec ses quatre facteurs, est à son tour source du processus qui le mime, le déplace et le dénature : la pulsion. Dans cette mesure la zone érogène, cette zone somatique privilégiée, n'est pas exactement une source au même sens où l'on peut parler d'une source somatique de l'instinct, elle se définit plutôt comme un point particulièrement exposé à cet effet marginal, à cette *Nebenwirkung* que nous venons d'évoquer.

Nous voici au terme d'un trop bref parcours. Laissons de côté le troisième chapitre des « Trois essais » pour d'autres développements en nous contentant de le mentionner comme moment de l'instinct retrouvé ; retrouvé, comme dans toute retrouvaille — nous le montrions tout à l'heure à propos de la retrouvaille de l'objet — autre qu'il n'était au départ, car la trouvaille est toujours retrouvaille d'*autre chose*. Évidemment c'est le temps de l'Œdipe. Négligeons donc présentement cette troisième étape pour insister sur ce qui fait le sens, l'orientation et l'unité des deux premiers chapitres. Réfléchissons encore une fois à ce qu'ils nous apportent et pour cela utilisons la notion de *perversion,* puisque c'est d'elle qu'il s'agit aussi bien dans le premier chapitre, avec les aberrations sexuelles de l'adulte, que dans le second avec la notion d'un enfant « pervers polymorphe ». Considérons donc ce terme de perversion et l'espèce de mouvement qui s'opère à l'intérieur même de son concept. Perversion ? cette notion est couramment définie comme *déviation de l'instinct*, ce qui suppose une voie et un but spécifiques et implique qu'on s'en écarte, qu'on prenne une voie déviante (on parle en biologie, et maintenant en « sciences humaines », de « déviants »). Si bien qu'à consulter un quelconque ouvrage de psychiatrie, on s'aperçoit que les auteurs admettent les perversions les plus diverses, dans le domaine de tous les « instincts » et selon le nombre et la classification des instincts qu'ils adoptent ; non seulement des perversions sexuelles mais aussi, et peut-être surtout, des perversions du sens moral, des perversions des instincts sociaux, des perversions de l'instinct de nutrition etc. Dans les « Trois essais », au contraire, Freud fonde sa notion de perversion uniquement sur les perversions sexuelles. Est-ce à dire, puisqu'il s'agit de définir des déviances par rapport à une norme, que Freud lui-même se rallierait à la notion d'un instinct sexuel ? Et finalement la définition d'un « instinct sexuel » ne pourrait guère que proposer une version revue et améliorée de la « conception populaire »... Il n'en va pas ainsi, et la dialectique de Freud est plus fondamentale. Le mouvement que nous indiquions tout à l'heure, ce mouvement d'exposition qui est en même temps le mouvement d'une pensée et en dernière analyse le mouvement de la chose elle-même, c'est que l'*exception* — nous voulons dire la perversion — finit *par emporter avec elle la règle*. L'exception qui devrait supposer l'existence d'un instinct défini, d'une fonction sexuelle préexistante, avec ses normes d'accomplissement bien définies, eh bien, cette exception finit par saper et détruire la notion de norme biologique. Toute la sexualité finit par devenir perversion, du moins toute la sexualité infantile.

Qu'est-ce qui est alors perverti, puisqu'il n'est plus question de se référer à un « instinct sexuel », du moins chez le petit enfant ? Ce qui est perverti c'est toujours l'instinct, mais c'est en tant que fonction vitale qu'il est perverti *par* la sexualité. Ainsi viennent à nouveau se conjoindre et se disjoindre les deux notions que nous avons discutées au début de ce développement, la notion de pulsion et celle d'instinct. La pulsion au sens propre, au seul sens qui soit fidèle à la découverte freudienne, c'est la sexualité. Or la sexualité est tout entière, chez le petit être humain, dans *un mouvement qui dévie l'instinct, qui métaphorise son but, qui déplace et intériorise son objet, qui concentre enfin sa source sur une zone éventuellement minime, la zone érogène.* Cette zone érogène dont nous n'avons guère eu le loisir de discuter, indiquons pourtant tout l'intérêt qui s'y attache. C'est une sorte de point de rupture ou de rebroussement dans l'enveloppe corporelle, puisqu'il s'agit avant tout des orifices sphinctériens : bouche, anus etc. C'est en même temps une zone d'échanges puisque les principaux échanges biologiques transitent par elle (nous pensons à nouveau à l'alimentation mais également aux autres échanges). Zone d'échange, c'est également une zone de soins, entendons par là les soins particuliers et attentifs de la mère. Ces zones, donc, attirent les premières manœuvres érogènes de la part de l'adulte. Fait plus important encore, si l'on fait entrer en jeu la subjectivité du premier « partenaire », ces zones *focalisent les fantasmes parentaux,* et avant tout *les fantasmes maternels,* de sorte qu'on pourrait dire, de façon à peine imagée, qu'elles sont les points par lesquels *s'introduit dans l'enfant ce corps étranger interne* qui est, à proprement parler, *l'excitation sexuelle.* C'est ce corps étranger interne et son devenir dans l'être humain qui feront l'objet de notre prochaine étude.

II

LA SEXUALITÉ ET L'ORDRE VITAL
DANS LE CONFLIT PSYCHIQUE

Pour commencer ce second développement, également consacré à la sexualité, nous proposerons d'abord un certain nombre de réflexions sur la tentative de notre précédente conférence, tentative certainement trop rapide pour retracer une genèse freudienne de la sexualité à partir de l'ordre vital. Nous remarquerons d'abord qu'il ne peut s'agir là que d'une approximation tout à fait imparfaite. Nous n'avons fait que développer *un aspect* du problème de la sexualité. Le terme même de genèse évoque la notion d'émergence, la possibilité d'une compréhension linéaire, une compréhension de l'après par l'avant ; perspective qui devrait être corrigée par un renversement : d'une part la genèse proposée implique en réalité que ce qui est avant — disons l'ordre vital — comporte ce qu'on peut appeler une imperfection fondamentale chez l'être humain, une véritable déhiscence. Ce qui est « perverti » par la sexualité c'est bien sûr la fonction, mais une fonction débile, prématuré. C'est là tout le problème de l' « ordre vital » chez l'homme et de la possibilité ou plutôt de l'impossibilité de le saisir « en deçà » de ce qui est venu le « recouvrir » (à supposer que ces termes conservent encore un sens qui ne soit pas purement didactique). D'autre part, dans cette mesure même, c'est l'*après* qui est peut-être le plus significatif, c'est peut-être lui qui permet de comprendre et d'interpréter *ce que nous nommons* l'avant. Nous faisons par là allusion à une notion qui est également prévalente dans la pensée freudienne, et qui va se retrouver maintenant en filigrane dans ce que nous tenterons d'exposer, la notion d' « après-coup » (*Nachtraglichkeit*) (1).

Notre seconde réflexion préliminaire, conduite également avec Freud, portera sur l'immense élargissement que la psychanalyse a apporté à la notion de sexualité, élargissement aussi bien dans l'extension du concept que dans sa compréhension. *En extension*, puisque la sexualité recouvre désormais, non seulement le petit secteur de l'activité génitale, non seulement les perversions, non seulement les névroses, mais toute activité humaine, comme le démontre par exemple l'introduction du concept de sublimation. C'est ici qu'il convient de rappeler le terme de « pansexualisme » qui a été avancé contre Freud comme un véritable cheval de bataille, une arme polémique contre laquelle il a eu bien souvent du mal à trouver la parade. Il s'en défend, bien sûr, avec énergie comme d'une attaque malveillante, mais il le fait cependant toujours de biais. Pansexualisme, Freud feint le plus souvent d'entendre ce terme au sens le plus péjoratif et le moins défendable, prenant au pied de la lettre ce reproche d'adversaires, faut-il le préciser, peu subtils : vous expliquez tout uniquement par la sexualité. Il a beau jeu de répondre alors qu'il n'en est rien, en rappelant que toute sa théorie est fondée sur le conflit et que conflit implique dualité ; il faut bien que quelque chose s'oppose à la sexualité, même si ce terme opposé est défini différemment à tel ou tel moment de la pensée

---

(1) Il revient à J. Lacan d'avoir le premier remis en valeur ce terme, qui fait partie de ce qu'on pourrait nommer l'appareil conceptuel « officieux » de Freud. Cf. Laplanche (J.) et Pontalis (J. B.) : *Vocabulaire de la Psychanalyse*, Paris, P.U.F., 1967. Article : « Après-coup ».

freudienne : ce peut être un autre type de pulsion — ce que Freud a nommé les pulsions d'auto-conservation ou les pulsions du moi — ce peut être le moi lui-même, comme organisation, et finalement ce sera, en dernière analyse, la pulsion de mort. Freud répond donc à une objection qu'il veut formulée de la façon la plus absurde : vous expliquez uniquement par la sexualité ; mais en fait il ne répond pas, et pour cause, à l'objection : vous mettez de la sexualité partout. Car « pansexualisme » ne veut pas nécessairement dire que la sexualité soit « tout », mais peut-être que *dans* « *tout* » il y a de la sexualité. « Et pour cause », s'il est vrai que, comme nous avons tenté de le montrer naguère, *tout* peut engendrer de la sexualité, ce qui implique que *tout* également peut y ramener dans notre expérience clinique.

En dernier ressort, la vraie réponse de Freud à ces « calomnies » consiste plutôt en une contre-attaque : votre objection, lance-t-il, n'est finalement que la marque de votre propre refoulement. Nous citerons ici un texte qui est frappant par son actualité, notamment si on le réfère à des études récentes qui ont pour objet la diffusion des concepts psychanalytiques dans la société moderne. Dans son ouvrage sur « la Psychanalyse, son image et son public » (1) Moscovici s'est proposé justement de déterminer, par la méthode de l'enquête telle qu'on la pratique en psychologie sociale, ce que le public vise, de nos jours, par ce terme : Moscovici s'est aperçu que, tout simplement, non pas pour les spécialistes bien sûr mais pour l'homme de la rue, « psychanalyse » veut dire « refoulement » et « sexualité ». Or voici ce que Freud déclare dans sa préface de 1920 à la 4e édition des « Trois essais » :

« Les flots de la guerre se sont retirés, et l'on peut constater maintenant, avec satisfaction, que l'intérêt pour

______

(1) Moscovici (S.), *la Psychanalyse, son image et son public*, Paris, P.U.F., 1961.

la recherche psychanalytique n'a pas diminué dans le monde. Cependant toutes les parties de notre doctrine n'ont pas suivi le même destin. [C'est bien ce que Moscovici a montré par une méthode plus scientifique.] Les thèses et découvertes purement psychologiques de la psychanalyse, relatives à l'inconscient, au refoulement, au conflit pathogène, au bénéfice de la maladie, aux mécanismes de la formation des symptômes etc., sont de plus en plus largement admises et sont prises en considération même par nos adversaires [en ce qui concerne la « psychologie » psychanalytique, tout le monde commençait à être d'accord, et tout le monde est de plus en plus d'accord, pour l'admettre et l'acclimater]. Mais la partie de la doctrine qui est limitrophe de la biologie [entendons par là la sexualité] et dont les fondements sont exposés dans ce petit écrit, rencontre toujours une opposition qui n'a pas diminué ; et même parmi des personnes qui pendant quelque temps se sont intensément occupées de la psychanalyse, plusieurs l'ont abandonnée et ont proposé de nouvelles conceptions qui devraient à nouveau restreindre le rôle du facteur sexuel dans la vie psychique normale et pathologique. » (1)

Nous rappelions tout à l'heure ce que l'enquête de Moscovici avait révélé : pour le « non-spécialiste » c'est bien, en effet, la sexualité qui résume l'essentiel de l'apport psychanalytique à la pensée contemporaine. Freud souligne en contrepartie que chez les « hommes de science », c'est la sexualité qui est laissée dans l'ombre tandis que ce qu'on accepte plus facilement, ce qu'on intègre, ce sont certains des *mécanismes* décrits en psychanalyse, par exemple le refoulement, le bénéfice de la maladie etc. Disons, d'une façon raccourcie et polémique, que *l'on accepte le refoulement mais on refoule le refoulé* ; et *le refoulé, c'est le sexuel.*

---

(1) Freud (S.), *Trois essais sur la théorie de la sexualité.* G.W., V, p. 31. trad. fr. Paris, Gallimard, 1962. Préface p. 11, Les remarques entre crochets sont de J. Laplanche.

Citons un autre passage de la même préface ; Freud répond ici à l'objection du « pansexualisme » et nous allons voir qu'en fait il ne se défend pas d'être, en un sens, pansexualiste :

« Il faut se souvenir du fait qu'une partie du contenu du présent écrit — l'accent mis sur l'importance de la vie sexuelle pour toutes les activités humaines, notre tentative d'élargir le concept de sexualité — a de tout temps fourni les plus puissants motifs à la résistance contre la psychanalyse. En usant de slogans retentissants, on est allé jusqu'à parler du « pansexualisme » de la psychanalyse et à lui faire le reproche insensé de « tout » expliquer par la sexualité. On pourrait s'étonner de ces faits si l'on pouvait oublier l'effet des passions qui troublent les esprits et leur fait perdre le souvenir de bien des choses. Il y a déjà pas mal de temps que le philosophe A. Schopenhauer montrait aux hommes dans quelle mesure leur activité est déterminée par les tendances sexuelles, au sens habituel de ce terme » (1).

Abordons maintenant l'autre problème, non plus celui de l'extension (au sens logique du terme) de la sexualité à tout le domaine de l'activité humaine, mais celui que pose l'élargissement en *compréhension*, et finalement la véritable mutation de sens qui est apportée au terme de sexualité. Voici les quelques mots que Freud lui consacre dans cette même préface :

« Enfin en ce qui concerne l' « élargissement » du concept de sexualité, élargissement que nous imposait la psychanalyse des enfants et de ce qu'on appelle les pervers, nous répondrons à ceux qui, de leur hauteur, jettent un regard de mépris sur la psychanalyse, qu'ils devraient se rappeler combien l'idée d'une sexualité plus étendue se rapproche de l' *Éros* du divin Platon (2). »

---

(1) *Ibidem.*, G.W., V, p. 32. Trad. Fr. Préface p. 12.
(2) *Ibidem.*, G.W., V, p. 32, Trad. Fr., pp. 12-13.

« Une sexualité plus étendue », c'est de cela qu'il s'agit
en effet puisque nous sommes passés du sexuel comme instinct vital au sexuel comme véritable perversion universelle
de l'instinct (ou pour utiliser un terme que nous considérons
sinon comme synonyme, du moins comme appartenant au
même registre : une perversion de la fonction). Tout au
long de son œuvre, on voit Freud se débattre avec ce problème et se défendre contre les objections qu'on a pu lui
opposer à ce sujet ; il lui faut, pour cela, tenter de donner
une nouvelle définition de la sexualité puisqu'il s'est en
effet aperçu que l'ancienne définition — celle qui se référait
à l'idée d'une sexualité génitale ayant son but fixé et un
objet précis — était devenue caduque. Un terme a retenu
un instant son attention et a probablement été mis à l'hon-
neur parmi les sexologues qui gravitaient alors dans l'orbite
psychanalytique : il s'agit de l'expression « plaisir d'organe »,
venant désigner précisément cette perversion de l'instinct et
s'opposer — l'hypothèse nous semble très vraisemblable — à
l'idée d'un « plaisir de fonction. » La sexualité est justement
plaisir localisé, plaisir auto-érotique, plaisir de l'organe
sur place, au lieu d'être le plaisir de la fonction avec tout
ce que ce terme implique d'ouverture vers l'objet. Freud
utilise parfois le terme « plaisir d'organe » dans la mesure
où il peut aider à comprendre, mais il s'en méfie aussi, car
l'introduction d'un « synonyme » risque d'oblitérer l'affirmation que tout le processus décrit est bel et bien du sexuel ;
supprimer le mot même de sexuel c'est, pour lui, déjà en
abandonner l'idée : nous savons combien Freud est poin-
tilleux sur cette question des mots, et nous le voyons plus
d'une fois affirmer que céder sur le mot c'est déjà céder aux
trois-quarts sur le contenu même de la pensée. Il nous
semble en tout cas que, si cette difficulté avec laquelle
Freud se bat dénote un certain flottement dans sa pensée,
il s'agit là d'un flottement nécessaire, celui qui apparaît
temporairement lorsque, dans l'évolution dialectique d'une

science, une théorie se trouve renversée, remplacée par une théorie nouvelle dont l'axiomatique généralisée permet d'englober la théorie ancienne comme un cas particulier. Du point de vue du sujet, du savant, la révolution scientifique qui vient élargir brusquement l'acception d'un concept en emporte, pourrait-on dire, les bases. Ainsi en va-t-il pour Freud lui-même : on le voit alors se réfugier dans l'espoir d'une définition biologique, chimique, hormonale, de la sexualité, espoir repoussé dans un avenir plus ou moins lointain de la science ; ou bien, on le voit répéter simplement, comme s'il ne pouvait aller plus loin, les raisons qui le contraignent à *rapprocher* le sexuel au sens populaire, « génital », du terme, et le champ qu'il a découvert. Rappelons les principaux arguments : la *ressemblance*, par exemple, qui peut exister entre la jouissance pré-génitale et la jouissance génitale ; la *contiguïté*, les transitions insensibles qui relient entre elles toute une série de jouissances, la dernière jouissance de la série étant fréquemment une jouissance génitale ou en tout cas un plaisir à signification génitale. Qu'on pense, par exemple, chez l'enfant, à toutes les transitions qui ne sont pas proprement génitales mais qui aboutissent à la masturbation ; qu'on pense, chez l'adulte, à ce qu'on nomme plaisir préliminaire dans l'acte sexuel ; qu'on pense aux comportements pervers qui peuvent être des pratiques tout à fait extra-génitales mais dont cependant nous sommes obligés de voir qu'ils aboutissent également à une excitation sexuelle au sens étroit du terme ; qu'on pense enfin à tous les liens que nous retrouvons dans le symptôme névrotique entre le plaisir non-sexuel et, finalement, la jouissance à signification sexuelle. Enfin nous retrouvons l'argument du « refoulement », argument *ad hominem* qui défie et irrite une certaine logique, mais qui est imparable dans la logique de la psychanalyse ; voici la forme qu'il prend dans ce cas : si le « suçotement », cette manifestation auto-érotique, est condamné par les mères, c'est bien qu'elles reconnaissent implicitement son caractère de « mauvaise habitude », et chacun sait que « mauvaise habitude » n'est qu'une litote pour : habitude d'excitation et de jouissance sexuelles. Chez les mères, on ne cesse de retrouver une double opposition : à la fois à l'égard de la *notion* de sexualité infantile et à l'encontre de ses *manifestations*. Ce qui signifie qu'elles énoncent en même temps ces deux propositions contradictoires : l'enfant est innocent sexuellement, et puisqu'il ne l'est pas, il est condamnable. Nous reconnaissons un des avatars du fameux argument du chaudron, qui emploie toutes les mauvaises raisons pour finalement dénier un certain fait : vous ne m'avez jamais prêté ce chaudron, d'ailleurs il était percé et de toute façon, je vous l'ai rendu. De tous les côtés la sexualité, au sens freudien, mène au refoulement et à la dénégation. Il s'agit là de quelque chose d'obscurément et peut-être d'irrémédiablement condamnable, même si, de nos jours, à l'ère post-freudienne, l'expression « sexualité infantile » effarouche moins. Et, à ce propos, nous citerons la remarque malicieuse d'une psychanalyste d'enfants à qui nous posions un jour la question : après tout que signifie, dans votre expérience, cette sexualité infantile dont nous parlons tant ? La réponse fut à peu près celle-ci : c'est une dénomination commode que les adultes utilisent pour se dissimuler tout un tas de choses affreuses qu'ils ne veulent pas regarder en face.

La sexualité est donc le refoulé par excellence, et, de bout en bout, cette affirmation va se renouveler dans l'œuvre de Freud. Ce qui peut faire écran à cette thèse et qui motive les illusions de tout un courant « psychologisant » de notre discipline, c'est le fait que Freud ait parfois donné la description du *mécanisme* du conflit, ou du *mécanisme* du refoulement, abstraction faite de son contenu. Nous faisons notamment allusion ici à un texte tardif, l' « Abrégé de psychanalyse » (1938) qui, si riche d'enseignements qu'il soit par ailleurs, décrit en un premier temps — par un artifice de présentation qui n'est pas sans comporter de graves inconvénients — le conflit psychique comme un conflit abstrait entre des « instances » encore non spécifiées, d'un côté le moi, de l'autre ce qui est dénommé « ça », le lieu des pulsions, sans mettre sous ce « ça » quoi que ce soit de précis, sans y placer une pulsion précise, nommément de la sexualité. On a l'impression devant de telles descriptions, et à plus forte raison chez des auteurs qui réexposent la métapsychologie freudienne, qu'il existe d'une part des processus psychologiques descriptibles adéquatement en termes de mécanique, et que d'autre part on peut venir remplir ce schème abstrait du conflit par n'importe quel type de « pulsion », ici la sexualité, ailleurs l'agressivité, ailleurs n'importe quelle autre encore. Cependant, un peu plus loin dans l' « Abrégé de psychanalyse » (1), Freud va revenir sur le sujet et poser explicitement cette question : bien que les grandes lignes du conflit et le mécanisme du refoulement puissent, semble-t-il, être décrits dans toute leur généralité, comment se fait-il, *en fait*, que la vie sexuelle constitue le seul point faible, celui sur lequel porte, par prédilection, le refoulement ? Pourquoi seule notre sexualité est-elle refoulée ? Nous trouvons, dans ces pages, quelques indications précieuses quant à certains caractères spécifiques de la pulsion sexuelle chez l'homme, notamment son « instauration diphasée », le fait qu'elle apparaisse en deux temps : d'une part une phase infantile, d'autre part une phase pubertaire et adulte, les deux étant séparées par une longue période dite période de latence. Il y a là un caractère dont la portée est plus importante que le simple fait « maturationnel » qui en constitue le fondement. Il s'agit d'un processus comportant un rythme temporel : première apparition — qu'on peut dire prématurée — de la sexualité ;

---

(1) FREUD (S.), *Abrégé de psychanalyse*. G.W., XVII, pp. 112 sq. Traduction française., Paris P.U.F., 1967, pp. 56 sq.

éclipse du refoulement ; reprise des significations anciennes
sur la base de possibilités physiologiques cette fois adéquates
à leur visée. Ce facteur rythme, nous verrons bientôt comment Freud le fait jouer dans le phénomène du refoulement.
Non moins intéressante, une autre notation dans le même
passage souligne ce qu'on peut nommer la dénaturation
de la sexualité chez l'homme par rapport à l'animal : par
exemple, la perte du caractère périodique de l'excitabilité
sexuelle, dont on sait qu'il spécifie la sexualité animale.
Ici c'est un rythme naturel, fonctionnel (celui du rut) qui
s'est effacé, tandis que s'établissait par ailleurs un autre
type de séquence, incompréhensible si l'on ne fait appel à
des catégories comme celles du refoulement, de la réminiscence, du travail d'élaboration, de l'après-coup...

Toutes ces remarques de l' « Abrégé » sont suggestives,
mais relativement peu développées et peu articulées entre
elles. La sexualité est bien désignée comme le « point faible »
de l'organisation psychique, mais le lien explicatif entre
cette « faiblesse » et le processus du refoulement n'est pas
précisé. Comme si ce texte tardif ne présentait plus que
l'écho amorti d'une question que Freud s'était posée d'emblée, de façon beaucoup plus aiguë et qu'il formulait
ainsi, dès le début de ses recherches métapsychologiques,
en 1895 : « *Il doit exister un caractère de la représentation
sexuelle qui explique que seules des représentations sexuelles
soient soumises au refoulement.* » Nous venons de citer le
« Projet de psychologie scientifique » de 1895, texte capital
pour cette recherche, s'il est bien vrai que c'est à cette
époque qu'à été avancée la tentative la plus élaborée pour
lier organiquement, de l'intérieur, refoulement et sexualité
dans une même théorie. Nous nous référons ainsi à ce que
l'on peut étiqueter du nom de « *théorie de la séduction* » ou
théorie du « *proton pseudos hystérique* », théorie qui fait le
fonds non seulement de toute la seconde partie du « Projet
de psychologie scientifique », mais de la grande majorité

des écrits théoriques dans la période qui s'étend jusqu'en 1900. Théorie de la séduction, théorie du proton pseudos ? Il est bien sûr difficile de dégager des notions d'une certaine gangue terminologique, d'un certain appareil conceptuel en partie désuet qui rend difficile l'accès du « Projet de psychologie scientifique ». Le malaise du lecteur contemporain, à la lecture de ce texte, est certain. Ou bien il prend à la lettre la conceptualisation utilisée par Freud, jusqu'au moment où, reprenant ses esprits, il est amené à se demander s'il n'a pas été entraîné dans une monstrueuse machinerie pseudo-scientifique fort distante des « réalités psychologiques » ; ou bien il tente d'emblée de distinguer ce qui se véhicule là de l'expérience psychanalytique naissante et ce qui est le reliquat d'un mode de pensée banalement scientiste ; mais, si l'on adopte cette seconde attitude, il faut bien avouer que la majeure partie de l'Entwurf est alors à rejeter. Cependant, malgré l'opinion de bon nombre d'historiens du freudisme (1), malgré le jugement de Freud lui-même (2), nous avons fait nôtre, systématiquement, le parti-pris de nous engager d'abord dans le dédale complexe de ce texte, en nous soumettant à sa « technicité » la plus rebutante ; guidés par la certitude qu'une grande œuvre — nourrie par une grande expérience — ne peut se laisser dépecer si aisément en bons et en mauvais morceaux.

Sans refaire aujourd'hui, ni même amorcer, ce long parcours, nous tenterons néanmoins d'aller à l'essentiel de cette

---

(1) ... « l'*Esquisse* apparaît comme le plus grand effort que Freud ait jamais fait pour contraindre une masse de faits psychiques à entrer dans le cadre d'une théorie quantitative, et comme la démonstration par l'absurde que le contenu excède le cadre ».

RICŒUR (P.) : « *De l'Interprétation* ». Paris, Le Seuil, 1965, pp. 82-83.

(2) « Je n'arrive plus à comprendre l'état d'esprit dans lequel je me trouvais quand j'ai conçu la « psychologie » ; il m'est impossible de m'expliquer comment j'ai pu te l'infliger. Je crois que tu es trop poli ; ça me semble être une sorte d'aberration ».

FREUD (S.): Lettre à Fliess du 29-11-1895, n° 46, in : *Aus den Anfängen der Psychoanalyse* Londres, Imago, 1950 ; trad. fr. in : *la Naissance de la Psychanalyse*, Paris, P.U.F., 1956, p. 119.

notion de *séduction*. La séduction, dans la pensée freudienne, renvoie à deux registres : c'est d'une part une *constatation clinique* successivement affirmée, infirmée, mise en doute, réaffirmée encore et ceci jusque dans les derniers écrits, et d'autre part, c'est une *théorie* élaborée à partir de cette observation des faits de séduction.

La constatation est au départ fort simple. On retrouve par la méthode psychanalytique ce qui au premier abord se donne comme des souvenirs — disons en tout cas des scènes, quelle que soit la valeur de réalité qu'on leur attribue — des scènes où l'adulte fait des avances sexuelles à l'enfant, que ce soient de simples paroles ou des gestes plus ou moins explicites, parfois même des actes sexuels ébauchés sinon accomplis. Dans les « Études sur l'hystérie » (publiées en 1895) qui rapportent la plupart des premières thérapies de Freud et Breuer, c'est à chaque pas qu'on trouve cette référence à la séduction dans les souvenirs hystériques. Dans certaines observations, ces souvenirs sont relatés sous la forme où ils furent vraiment redécouverts ; parfois, ils sont partiellement déformés ou censurés par l'auteur (comme il s'en expliquera lui-même ultérieurement) lorsqu'il n'ose pas encore faire face à sa découverte dans toute son ampleur, nous voulons dire la découverte de l'Œdipe, et lorsqu'il rapporte à tel « oncle » ce qui en réalité (ceci nous est précisé en note) était le fait du *père*. Ainsi, chez les hystériques soignées à cette époque par la « méthode cathartique », la séduction était un scénario commun, retrouvé souvent en une succession de scènes dans la série desquelles Freud remontait avec enthousiasme pour chercher inlassablement, en deçà d'une scène tardive, un événement analogue, mais encore plus précoce et plus « traumatisant ». Cette recherche passionnée des « scènes », de *la* scène et, en dernier ressort, de la scène « originaire » ou primitive, devait finalement aboutir à une désillusion dramatique, qui se trouve exprimée dans une lettre à Fliess du 21-9-1897, lettre 69 dont nous citerons en les commentant quelques fragments :

« Me revoilà, cher Wilhelm, — nous sommes rentrés hier matin — dispos, de bonne humeur, appauvri, sans travail pour le moment, et je t'écris dès notre réinstallation terminée. Il faut que je te confie tout de suite le grand secret qui, au cours des derniers mois, s'est lentement révélé. Je ne crois plus à ma *neurotica* [précisément à la théorie de la névrose fondée sur la séduction et le « proton pseudos »], ce qui ne saurait être compris sans explication ; tu avais toi-même trouvé plausible ce que je t'avais dit. Je vais donc commencer par le commencement et t'exposer la façon dont se sont présentés les motifs de ne plus y croire. Il y eut d'abord les déceptions répétées que je subis lors de mes tentatives pour pousser mes analyses jusqu'à leur véritable achèvement, la fuite des gens dont les cas semblaient le mieux se prêter à ce traitement, l'absence du succès total que j'escomptais et la possibilité de m'expliquer autrement, plus simplement, ces succès partiels, tout cela constituant un premier groupe de raisons [ici Freud se contente à résumer, de façon tout à fait générale, ses échecs thérapeutiques]. Puis aussi la surprise de constater que dans chacun des cas, il fallait accuser le père de perversion [en effet, s'il fallait retrouver des scènes de séduction, il fallait bien porter un diagnostic clinique sur le père de ces hystériques, et admettre que celui-ci devait être un pervers sexuel pour s'attaquer ainsi à ses enfants], et la notion de la fréquence inattendue de l'hystérie où se retrouve chaque fois la même cause déterminante, alors qu'une telle généralisation des actes pervers commis envers les enfants semblait peu croyable. (La perversion, en ce cas, devrait être infiniment plus fréquente que l'hystérie puisque cette maladie n'apparaît que lorsque les incidents se sont multipliés et qu'un facteur affaiblissant la défense est intervenu.) [Freud produit là une sorte d'objection statistique : la perversion sexuelle des parents devrait être infiniment plus fréquente que l'hystérie des enfants puisqu'on doit supposer qu'il y a davantage de cas de séduction que ceux qui ont abouti, dans des circonstances particulièrement déterminées, à l'hystérie comme névrose](1). En troisième lieu la conviction qu'il n'existe dans l'inconscient aucun indice de réalité, de telle sorte qu'il est impossible de distinguer l'une de l'autre la vérité et la fiction investie d'affects [c'est-à-dire, la vérité et le fantasme. Nous sommes en présence d'une idée maîtresse de la théorie freudienne : dans l'inconscient, nous ne trouvons aucun « indice de réalité » qui permette de distinguer le souvenir « réel » de la pure et simple imagination]. Quatrièmement, j'ai été amené à constater que dans les psychoses les plus profondes, le souvenir inconscient ne jaillit pas, de sorte que le secret de l'incident de jeunesse, même dans les états les plus délirants, ne se révèle pas [donc même dans les cas apparemment les plus favorables à l'investigation de l'inconscient, les cas de psychose, la remontée n'aboutit finalement jamais à l'événement premier] (2). »

En résumé, Freud présente, contre sa propre théorie, des objections de fait — l'impossibilité de remonter à *la* « scène » — et aussi des arguments de droit : l'impossibilité d'admettre une telle fréquence de la perversion chez les pères, et surtout, l'incapacité de décider si une scène retrouvée renvoie au réel ou au fantasme.

On a salué cette lettre comme le moment négatif annonçant une grande découverte et dégageant de ses obstacles la voie

---

(1) Si l'on admet, avec W. Granoff et F. Perrier (« le Problème de la perversion chez la femme et les idéaux féminins » in *La Psychanalyse*, 7, Paris, P.U.F., 1964), que c'est dans le *maternage* que se manifeste, de façon prévalente sinon exclusive, ce qu'on peut nommer « relation perverse » chez la femme, (relation de type analogue à la perversion fétichiste), on introduit un argument permettant de réexaminer et peut-être de balayer l'objection « statistique » que Freud opposait à sa propre théorie de la séduction.

(2) FREUD (S.), Lettre à Fliess du 21-9-1897, in *la Naissance de la psychanalyse*, trad. fr., P.U.F., 1956, Paris, pp. 190-191. Éd. All., pp. 229 sq. Les remarques entre crochets sont de J. Laplanche.

vers le fantasme, voie véritablement « royale » de la psychanalyse peut-on dire pour paraphraser ce qui a été dit à propos du rêve. C'est sur l'acquis de cette découverte que nous vivons actuellement encore, s'il est bien vrai que la partie centrale du travail psychanalytique consiste en l'explicitation et en l'analyse du fantasme inconscient. Voie féconde pour nous que cette exploration du fantasme, mais voie pénible pour Freud dans la mesure où, malgré l'introduction de la catégorie de la « *réalité psychique* » sur laquelle il insistera de plus en plus, il se trouve pris dans une alternative que, de nos jours, nous essayons de dépasser, l'alternative entre d'une part le réel, la réalité du souvenir effectivement vécu et dont on pourrait retrouver la trace de façon quasi policière (1) et d'autre part l'imaginaire, traditionnellement conçu comme un moindre être. Disons qu'il lui manque d'expliciter ce qui pourtant est présent dans la notion de « réalité psychique », quelque chose qui aurait toute la consistance du réel tout en n'étant cependant pas vérifiable dans l'expérience externe, une catégorie que l'on pourrait désigner, en première approximation, comme celle du « structural ».

A partir de ce moment historique de 1897, on constatera, tout au long de l'œuvre freudienne, des oscillations sans fin à propos de la séduction et, plus généralement, de la réalité des scènes sexuelles primaires. Nous ne retracerons pas l'histoire de ces variations (2) dont la seule existence montre que Freud ne tient pas *définitivement* en main la catégorie de la « réalité psychique » ; ainsi, bien qu'il affirme qu'après tout peu importe si ce qui est retrouvé est réalité ou fantasme,

---

(1) Qu'on se réfère à un article dont le titre, à lui seul, est significatif : « La psychanalyse et l'établissement des faits en matière judiciaire par une méthode diagnostique », Trad. fr, in : *Essais de psychanalyse appliquée*, Paris, Gallimard 1933, pp. 43-53.

(2) Cf. sur toute cette question, Laplanche (J.B.) et Pontalis (J.) : « Fantasme originaire, fantasmes des origines, origine du fantasme ». In : *Les Temps Modernes*, avril 1964, n° 215, pp. 1833-68.

puisque le fantasme a lui aussi une réalité, il ne cesse de se mettre à la piste des preuves réelles de ce qui s'est passé dans l'enfance. Rappelons seulement que la référence majeure, à ce propos, est l'analyse de « l'homme aux loups » et la discussion, qui occupe tant de pages dans cette observation, pour savoir si la « scène originaire » — le spectacle du coït parental — a véritablement été observée par le patient ou simplement refabriquée à partir d'événements ultérieurs ou d'indices tout à fait minimes.

Cependant, malgré cette incessante oscillation entre des termes tels que : réalité, pure imagination, reconstruction rétrospective, etc., Freud réaffirmera toujours davantage la séduction comme un fait, au point de la présenter, à la fin de son œuvre (dans les « Nouvelles Conférences ») comme une donnée quasi-universelle : il est en effet une séduction à laquelle pratiquement aucun être humain n'échappe, c'est la séduction des soins maternels. Les premiers gestes de la mère par rapport à l'enfant sont nécessairement tout imprégnés de sexualité, constatation qui recoupe ce que nous avons formulé à propos de la polarisation de la sexualité infantile sur les « zones érogènes » (1).

Laissons maintenant de côté la séduction comme *scène*, pour en venir à la *théorie* de la séduction. « *Proton pseudos* » : premier mensonge, premier mensonge hystérique. Les hystériques mentent, nous le savons, et on ne l'ignorait pas avant Freud. Nous venons encore de le constater avec lui puisqu'elles proposent comme une scène appartenant soi-disant à leur enfance quelque chose dont bien des fois nous sommes amenés à penser qu'il s'agit d'une pure et simple imagination. Elles ont pris leur imagination pour une réalité, et, plus profondément, elles ont traduit — selon certaines lois de transposition — leur désir en une réalité : ici, dans ce que nous nommons le « fantasme originaire » de

---

(1) Cf. plus haut p. 43, et notre note (1), p. 58.

séduction, c'est leur propre désir de séduire le père qu'elles ont traduit, de façon inversée, en une scène réelle de séduction *par* le père. Cependant, avec ce terme de « *proton pseudos* » c'est autre chose qu'un mensonge subjectif qui nous est présenté ; c'est une sorte de passage du subjectif au fondateur, voire, pourrait-on dire, au transcendantal ; en tout cas une sorte de mensonge objectif, inscrit dans les faits. D'emblée et définitivement, la psychanalyse se situe au-delà des pauvretés de la « clinique » officielle, qui n'a cessé de se référer à la mauvaise foi et à la simulation pour rendre compte de ce qu'elle nomme « pithiatisme ». Si les hystériques mentent, elles sont surtout les premières victimes d'une sorte de mensonge ou de tromperie. Non pas que quelqu'un leur mente, mais comme s'il existait, dans les faits mêmes, une sorte de tromperie fondamentale pour laquelle nous proposerons le terme de « fallace ». « Première fallace », c'est peut-être ainsi qu'on pourrait traduire, dans sa spécificité, le « *proton pseudos* ».

La théorie de la séduction ou de la « première fallace » est une théorie du refoulement donc d'une modalité majeure de la défense, et, dans ce « Projet de psychologie scientifique » qui se propose bien de construire une *psychologie*, le problème est posé dans le cadre plus général d'une psychologie de la défense. C'est par comparaison avec les modalités normales de la défense que la spécificité du refoulement sera dégagée par Freud. L'observation psychologique nous permet en effet de décrire de nombreux cas — défense contre des perceptions ou des souvenirs pénibles par exemple — où des mécanismes psychologiques normaux, limités et bien situables, sont utilisés. Ces mécanismes mettent en jeu différents facteurs : fonction d'attention du moi ; atténuation progressive par la répétition et la décharge fractionnée ; établissement de connexions associatives qui permettent de relier ce souvenir trop « chargé » à d'autres souvenirs et à d'autres idées, ce qui aboutit à l'englober dans un flux mental où sa charge se trouve progressivement répartie et diluée. Ce dernier facteur constitue ce que Freud nomme déjà « élaboration », processus qui demeure encore, sous le terme d'élaboration ou de « perlaboration », un des ressorts de la cure psychanalytique : faire rentrer dans le courant de la vie mentale quelque chose qui restait jusqu'alors isolé et enkysté. Or, si ce mécanisme de l'élaboration est employé de façon normale, il se trouve que, dans certains cas, le sujet ne peut y avoir recours... Mais citons d'abord un passage, parmi bien d'autres, où Freud décrit le mécanisme de la défense dite normale :

« Des souvenirs peuvent en d'autres circonstances déclencher du déplaisir. Le fait est tout à fait normal lorsqu'il s'agit de souvenirs récents. Quand le traumatisme (expérience de douleur) se produit pour la première fois à une époque où le moi est déjà formé [c'est là le point important : quand le moi est présent *dés le début du processus*, la défense s'effectue généralement de façon « normale »] — car les tout premiers traumatismes échappent entièrement au moi — il y a libération de déplaisir, mais le moi est déjà à l'œuvre et fait alors des investissements latéraux [il s'agit là d'un processus d'inhibition destiné à empêcher les décharges de se produire de façon non contrôlée (1)]. Quand ensuite se répète l'investissement de la trace mnésique, [entendons par là que le souvenir pénible se trouve réactivé] le déplaisir se répète lui aussi, mais les frayages du moi existent déjà [le moi, pour parler communément, est déjà habitué] ; l'expérience montre qu'à la seconde fois, la libération de déplaisir diminue, jusqu'au moment où, après plusieurs répétitions, elle se réduit à un signal d'une intensité que le moi est capable de supporter [l'essentiel est donc que dès le premier déclenchement de déplaisir un processus se soit amorcé, qui conduise par la suite à une atténuation progressive]. Il faut donc

----

(1)   Cf. plus loin pp. 107-108.

que lors de la première *libération de déplaisir* il y ait inhibition du moi, afin que le processus ne s'effectue pas à la
façon d'une expérience affective primaire « posthume »
[nous verrons bientôt ce que signifie ce terme de « posthume »] (1).

On pourrait produire bien d'autres passages qui correspondent chaque fois à une nouvelle tentative — car Freud,
dans l'*Entwurf*, procède par approximations successives
sans prétendre livrer un traité achevé — pour expliquer
comment se déroule cette « défense normale » par le « moi ».

Mais ce qui est en question dans le second chapitre, chapitre consacré à la psycho-pathologie, ce n'est pas la défense
normale, c'est la *défense hystérique*. Il se trouve, chez
l'hystérique, que le souvenir est soustrait à cette possibilité
d'une défense normale par atténuation, il est soustrait à
toute élaboration, aucun réseau associatif ne le relie (à prendre à la lettre les affirmations de Freud) au reste de la vie
psychique. Pour saisir plus précisément le raisonnement,
il faut faire intervenir ici deux termes : d'une part la scène
refoulée, le souvenir déplaisant ; d'autre part un souvenir
concomitant apparemment accessoire, une circonstance
contingente de l'événement traumatique, qui, elle, est demeu-
rée dans la mémoire à titre de symptôme ou de « symbole »
de la scène première, tandis que celle-ci ne peut pas être
ramenée à la conscience. La liaison entre les deux ne peut
pas être consciemment maintenue comme si, pour parler en
termes d'hydraulique ou d' « économie psychique », toute la
« charge » passait constamment de l'un à l'autre, comme si
le souvenir inconscient ne pouvait pas garder une charge
suffisante mais transmettait directement et comme « à plein
tuyau », sans aucune restriction et immédiatement, tout

---

(1) FREUD (S.), *Esquisse d'une psychologie scientifique*, In : *Naissance de la
psychanalyse*, trad. fr., P. U. F., 1956, Paris, p. 369. Éd. All., p. 438.
Les remarques entre crochets sont de J. Laplanche.

son affect au souvenir conscient. Ainsi dans les « Études sur l'hystérie » une malade, Katharina, voit pendant ses crises d'angoisse un visage auquel elle est absolument incapable de rattacher quoi que ce soit, un visage absolument sans signification mais qui devient véritablement le point d'appel de cette angoisse. Corrélativement, la scène qui provoqua d'abord cette angoisse, et au cours de laquelle ce visage avait été perçu mais de façon tout extrinsèque, cette scène reste inaccessible. Toute nouvelle perception qui vient irriter le souvenir inconscient de l'événement traumatisant, tout nouveau traumatisme en écho, fait surgir à l'esprit non pas la scène elle-même mais le symbole de la scène et uniquement lui. Freud propose de tout cela un schéma, en désignant par A et B ces deux éléments, d'une part la circonstance extérieure, d'autre part la scène qui en réalité a motivé le refoulement :

« A est une représentation d'intensité excessive qui surgit trop souvent dans le conscient provoquant chaque fois des larmes [dans le cas des « Études sur l'hystérie » que nous évoquions à l'instant le symptôme consistait en une crise d'angoisse. Dans cet exemple, A serait ce visage qui apparaît à Katharina, comme une véritable hallucination, et qui est lié à l'angoisse]. Le sujet ignore pourquoi A l'oblige à pleurer et considère cette réaction comme absurde sans toutefois pouvoir l'empêcher (1). »

Ce qui vient d'être décrit est l'état d'avant l'analyse, pendant qu'existe le symptôme. Examinons maintenant la situation après l'analyse :

« On a découvert l'existence d'une certaine représentation B, [disons : une scène] qui, à juste titre, provoque des larmes, et qui, à juste titre se répète souvent, jusqu'au moment où le sujet a pu accomplir, à son encontre, un travail psychique compliqué. [Ce travail psychique, nous l'indiquions à l'ins-

---

(1) *Ibidem.*, trad. fr., p. 360. All. p. 428.

tant, c'est un travail de connexion. C'est essentiellement ainsi qu'est conçu à cette époque le travail de l'analyse. Donc la scène B qui justifiait effectivement les larmes est retrouvée par l'analyse et retravaillée, jusqu'au moment où elle est mise hors d'état de nuire.] L'effet de B n'est pas absurde, le sujet le comprend et peut le combattre. »

« B [disons la scène principale] a certains points de contact avec A [le symbole mnésique]. Un certain événement consistant en A $+$ B s'est produit. A y représentait une circonstance accessoire, alors que B possédait tout ce qu'il faut pour produire un effet durable. Lorsque le souvenir de cet événement ressurgit, tout se passe comme si A avait pris la place de B. A est devenu le substitut, le *symbole* de B. De là l'impression d'absurdité puisque A s'accompagne de conséquences qu'il ne mérite pas et qui ne cadrent pas avec lui (1). »

Pour nous résumer, nous assistons au refoulement d'un certain souvenir, et, à sa place, un symptôme surgit qui est conçu effectivement comme le symbole de ce souvenir refoulé, un symbole tout à fait extrinsèque et éventuellement tout à fait accessoire par rapport au souvenir. Mais maintenant Freud va plus loin et pose le problème à nouveau par rapport au fonctionnement normal :

« Les symboles se forment aussi de façon normale. Un soldat peut se sacrifier pour un morceau d'étoffe multicolore attaché à une hampe, [quelque chose, donc, de tout à fait extrinsèque, un drapeau] parce que cette étoffe est le symbole de sa patrie, et personne ne considère ce fait comme névrotique... Le chevalier qui se bat pour sa dame sait bien que ce gant doit toute sa valeur à celle-ci, et d'autre part le prix qu'il y attache ne l'empêche nullement de penser à la dame et de la servir d'autre façon (2). »

---

(1) *Ibidem.*, trad. fr., pp. 360-361. All. pp. 428-429.
(2) *Ibidem.*, trad. fr., p. 361, All. p. 429.

Ainsi, dans ces deux exemples de symbole « normal », ce qui nous éloigne de l'hystérie c'est que le souvenir du symbolisé reste présent, que le symbolisé reste investi ; sinon nous nous trouverions devant cette absurdité (qui n'est d'ailleurs pas inimaginable!) : un soldat capable de mourir pour le drapeau, un chevalier-servant se sacrifiant pour le gant, en oubliant complètement la patrie ou la dame qui se trouvent derrière ces symboles.

« L'hystérique que A fait pleurer ignore qu'il ne s'agit que d'une association entre A et B ; B semble ne jouer aucun rôle dans sa vie psychique. Le symbole s'est, en pareil cas, substitué complètement à l'objet. » (1)

Certes nous pouvons dire que tout ce raisonnement reste dans un cadre « associationniste » mais il faut bien voir que la façon dont fonctionnent ces « associations » est très particulière : dans le cas présent, le symbolisé a complètement vidé toute sa charge, tout l'affect qu'il provoque, dans ce qui le symbolise. Lorsque nous employons ce terme de « vidé » nous ne faisons que reprendre une expression à connotation économique employée par Freud dans le passage qui suit immédiatement. On peut saisir là un des moments où les concepts économiques jaillissent de la clinique ; ces concepts, pour Freud, ne font que traduire immédiatement ce qu'il constate du jeu de l'affect et de la représentation. Voici maintenant l'explication du phénomène du point de vue économique :

« Le terme « intensité excessive » désigne un caractère quantitatif. Tout permet de supposer que le refoulement a, du point de vue quantitatif, le sens d'une soustraction de quantité et que la somme des deux [c'est à dire : investissement du symbole + investissement du refoulé] est égale à la normale. [Ceci signifie qu'il y a toujours la même quantité d'affect, la même quantité d'angoisse, ou, pourrait-on dire,

______

(1) *Ibidem.*, trad. Fr. p. 361. All. p. 429.

la même « quantité de larmes » dans chaque cas, et que la somme A + B doit toujours produire le même affect. Mais ce qu'on constate et qui mérite explication, c'est que c'est tantôt l'un, tantôt l'autre, ou parfois une répartition entre les deux, qui provoque l'affect.] Seule la répartition de la quantité s'est trouvée modifiée. Quelque chose a été ajouté à A, qui a été retiré à B [B s'est trouvé complètement vidé de toute énergie psychique ou, pour employer un terme plus technique, désinvesti]. Le processus pathologique est un processus de *déplacement* semblable à ceux que nous ont fait connaître les rêves, c'est donc un processus primaire (1). »

Nous avons en effet suivi Freud dans son exemple de l'hystérie, mais nous aurions tout aussi bien pu nous appuyer sur le symbole dans le *rêve*. Exactement comme l'hystérique, le sujet qui rêve est capable d'éprouver de l'angoisse, du désir ou de la peine devant telle représentation qui ne paraît pas susceptible de les motiver. Nous découvrons, par l'analyse des rêves, que derrière ces représentations il en existe d'autres, complètement absentes du rêve, « latentes », complètement « vidées », si bien que la représentation présente, le contenu manifeste, le symbole du rêve, semble seul être la cause d'un affect tout à fait absurde, irrationnel. C'est là le modèle de ce que Freud nomme « processus primaire », c'est à dire un *déplacement complet de l'affect*, un déplacement — comme nous le formulions à l'instant — « plein » ou « à plein tuyau », une communication complète, aboutissant à ce qu'une représentation reliée à une autre ne conserve rien de l'intérêt psychique qui s'y attachait, mais transmette complètement cet intérêt psychique à la seconde représentation.

Le processus primaire a été découvert avant tout dans les phénomènes de désir. C'est au niveau du rêve comme réalisation de désir que ses « lois » se démontrent le plus aisément.

---

(1) *Ibidem.*, trad. fr., p. 361. All. p. 429.

Or, avec le refoulement, nous voici en présence d'*un processus primaire qui ne régit pas tellement le désir que le mécanisme défensif.* La défense est un procédé mis en jeu par le « moi », instance dont la fonction est justement de modérer cette circulation effrénée de l'affect en quoi consiste le processus primaire, de faire par exemple que, lorsque je dis A égale B, je retienne en même temps quelque chose de A sans passer complètement dans B. Comment se fait-il donc qu'un mécanisme qui dépend directement du moi, puisse être en même temps régi par le processus primaire ? Comment est possible cette défense pathologique qui, en somme, fonctionne selon les lois du désir ? Avec cette question, nous en arrivons au cœur du problème ; et le pas suivant dans sa résolution consiste à montrer qu'*une telle défense pathologique ne se produit que lorsqu'elle porte sur un souvenir d'ordre sexuel.*

Il faut que la « scène » touche en quelque façon au domaine de la sexualité, nous allons voir comment ; qui plus est, il va falloir non pas une mais deux scènes ; c'est dans leur décalage et dans l'espèce de jeu de passe-passe impressionnant auquel elles donnent lieu que se produit le mensonge objectif que nous avons traduit par « fallace ». Pour sa démonstration, Freud relate fort brièvement le cas d'une patiente dont il ne parle pas ailleurs, et qu'il désigne du nom d'Emma. Emma est une phobique dont le symptôme, dans sa grande simplicité, est la peur d'entrer seule dans les magasins. Chez cette hystérique Freud met à jour deux scènes (puisqu'il s'agit toujours de « scènes » : tableaux ou scénarios). Il les décrit, dans l'ordre de la découverte qui est l'ordre rétrograde de l'analyse : d'une part une scène consciente, qui date de l'âge de 12 ou 13 ans, d'autre part une scène qui sera seulement retrouvée par l'analyse, scène antérieure qu'on pourrait situer à l'âge de 8 ans. A l'inverse de Freud, nous les prendrons dans l'ordre chronologique.

Lorsque nous parlons de « *première scène* », nous savons, bien sûr, que Freud et les psychanalystes, par la suite, ne se satisferont guère de souvenirs que nous considérons comme fort tardifs. Mais ce qui nous importe ici c'est beaucoup plus le *schéma séquentiel* que l'âge auquel ces scènes sont rapportées. Donc la scène « la plus ancienne », celle qui était refoulée et que l'analyse réussit à mettre à jour, a pour protagoniste un marchand qui tient un magasin d'épicerie-mercerie, et qui commet envers la petite Emma ce que Freud nomme un « attentat sexuel » :

« A l'âge de 8 ans elle était entrée deux fois seule dans une boutique d'épicerie-mercerie pour y acheter des friandises et le marchand avait porté la main, à travers l'étoffe de sa robe, sur ses organes génitaux. Malgré le premier incident elle est retournée dans la boutique une seconde fois puis cessa d'y aller. Actuellement elle se reproche d'être revenue chez ce marchand comme si elle avait voulu provoquer à nouveau l'attentat. De fait la « mauvaise conscience qui l'oppresse » doit être rapportée à cet incident (1). »

Nous ne relèverons, pour le moment, que deux points ; le caractère *répétitif* de la scène, et l'interprétation *inversée* qu'on peut proposer et que, par la suite, nous ne manquerons pas de donner : assurément il y a attentat sexuel de la part de l'adulte mais on peut dire également qu'il y a, en sens inverse, séduction de la part de la petite fille puisqu'elle retourne dans le magasin, évidemment pour se soumettre à nouveau à ce même type de geste. Dans la mesure où le souvenir et le fantasme peuvent aussi bien condenser en une seule scène plusieurs événements successifs qu'*étaler* en une suite temporelle un vécu simultané, rien n'empêche de se demander si, *dès la première fois*, la fillette n'est pas allée dans le magasin, mue par quelque obscur pressentiment sexuel. La séparation, l'isolation, le clivage servent, dans le souvenir, à déculpabiliser.

La *seconde scène* de son côté ne comporte apparemment

---

(1) *Ibidem.*, trad. fr., pp. 364-5. All. p. 433.

aucune incidence sexuelle, et la malade l'a d'emblée relatée en lui rapportant l'origine de sa phobie :

« elle en rendait responsable un souvenir remontant à sa treizième année, peu après la puberté (1). Étant entrée dans une boutique pour acheter quelque chose, elle aperçut les deux vendeurs (elle se souvient de l'un d'eux) qui riaient entre eux. Prise d'une sorte d'*affect d'effroi*, elle sortit précipitamment (2). »

Donc deux vendeurs qui peut-être se moquent d'elle dans un magasin, en raison, pense-t-elle, de la façon dont elle est vêtue. Indiquons sans plus tarder quel sera le résultat de la dialectique qui va s'établir entre les deux scènes : la première, celle qui comporte une signification sexuelle sera refoulée et, en conformité avec le schéma qui nous montrait le terme B remplacé par un terme A, on trouvera à sa place le symptôme ou symbole mnésique : une certaine phobie des magasins. Entre ces deux scènes, Freud établit tout un réseau de connexions, résumé en un schéma graphique du genre de ceux qu'on peut établir par exemple à propos d'un rêve. Il indique quels sont les liens associatifs entre les éléments de la scène consciente et ceux de la scène qui était inconsciente, liens associatifs qui sont eux aussi d'apparence tout à fait extrinsèque, anodins et en tout cas non-sexuels : d'une part les vêtements et d'autre part le rire, le rire des deux vendeurs qui trouve son équivalent ou son répondant dans une espèce de grimace que faisait le boutiquier dans la première scène. Donc, deux scènes reliées par des chaînes associatives, mais, aussi, nettement séparées l'une de l'autre par une *barrière temporelle qui les fait ressortir à deux sphères de signification différentes : le moment de la puberté.* C'est là, dans la théorie du « proton pseudos », le facteur capital : entre les deux scènes un élément tout à fait nouveau est apparu, la possibilité de réaction sexuelle. Et lorsque nous

---

(1) La traduction française dit « peu avant la puberté », ce qui rend le raisonnement tout à fait incompréhensible.
(2) *Ibidem.*, trad. fr., p. 364. All. p. 433.

parlons de « réaction sexuelle », nous n'évoquons pas seulement la possibilité de réactions physiologiques nouvelles, mais parallèlement, l'existence de représentations sexuelles. En d'autres termes, au moment de la première scène, la jeune Emma est incapable de relier ce qui s'est passé à quoi que ce soit qui ait chez elle un *répondant*. Au contraire avec la seconde scène, elle a les représentations lui permettant de comprendre ce qu'est un attentat sexuel.

Cette intervention de la puberté introduit une curieuse inversion entre les deux scènes. On peut dire, et ce sont à peu de chose près les termes même de Freud, que dans la première scène nous avons un contenu sexuel, de par le comportement explicite de l'adulte protagoniste, mais que c'est un contenu sexuel comme *en soi* et non pas *pour le sujet*. La scène est sexuelle pour un spectateur extérieur, ou dans l'intention du boutiquier. Pour l'enfant elle ne peut pas avoir pleinement cette signification. Une scène, donc, qui n'a pas d'effet sexuel immédiat, qui ne produit pas d'excitation, qui ne provoque pas de défense ; et le terme que Freud emploie pour la caractériser traduit bien ce caractère ambigu ou même contradictoire : c'est une scène « *sexuelle-présexuelle* ». La seconde scène, de son côté, on pourrait dire aussi qu'elle manque également de sexualité, puisque justement il s'agit de circonstances apparemment banales, le fait que deux vendeurs se moquent de la toilette d'une adolescente. Sans doute pourrait-on épiloguer sur l'atmosphère sexuelle sous-jacente à ce scénario (fou rire — fuite etc.). Ce qui est certain, c'est qu'il n'y a pas d'attentat sexuel. Or cette scène, quelle que soit la façon dont effectivement elle s'est passée, va réactiver le souvenir de la première scène et, par l'intermédiaire de ce souvenir, « libérer » ou « déclencher » (*entbinden*) une réaction sexuelle sous sa double forme : d'une part une excitation physiologique, d'autre part un ensemble de représentations que la jeune Emma, étant pubère, a désormais à sa disposition.

Voici maintenant comment Freud synthétise cette relation entre les deux scènes et comment il aboutit à la conclusion que le *souvenir* de la première scène, au moment où se produit la seconde scène, ne peut pas faire l'objet d'une défense « normale » (une défense par connexion et atténuation) mais qu'elle doit subir une défense atypique ou pathologique :

« Disons qu'il n'est nullement étonnant de voir une association passer par un certain nombre de chaînons intermédiaires inconscients pour aboutir à un chaînon conscient ainsi que cela s'est ici produit. L'élément devenu conscient est probablement celui qui a suscité le plus vif intérêt. Mais ce qui précisément est remarquable dans notre exemple, c'est le fait que ce qui a pénétré dans le conscient n'est pas le chaînon qui suscite de l'intérêt (l'attentat), mais un autre élément, en tant que symbole (les vêtements). [Donc la scène première ne pénètre pas dans le conscient avec toute sa signification d'attentat mais par un élément tout à fait extérieur, les vêtements.] Où chercher la cause du processus pathologique qui vient ici s'intercaler ? Une seule réponse est possible, la cause en est la *libération* [*d'excitation*] *sexuelle* qu'on constate dans le conscient également. Cette libération de sexualité est liée au souvenir de l'attentat, mais il faut noter un fait capital, à savoir que cette décharge ne fut pas liée à l'attentat au moment où il se produisit [la première scène n'a rien provoqué]. Nous trouvons là l'exemple d'un souvenir suscitant un affect, que l'incident lui-même n'avait pas suscité ; c'est qu'entre-temps les changements provoqués par la puberté ont rendu possible une compréhension nouvelle des faits remémorés. Ce cas nous présente un tableau typique du refoulement hystérique. Nous ne manquons jamais de découvrir ceci : un souvenir est refoulé, qui ne s'est transformé qu'après-coup en traumatisme [c'est là l'essentiel du raisonnement : nous cherchons à pister le traumatisme, or le souvenir traumatisant ne l'a été que secondairement : nous n'arrivons pas à repérer historiquement l'événement traumatisant. On pourrait illustrer ce fait par l'image d'une « relation d'indétermination » type Heisenberg : si on veut localiser le trauma, on ne peut plus apprécier son impact traumatisant, et vice-versa]. La raison de cet état de chose se trouve dans l'époque tardive de la puberté par comparaison avec le reste de l'évolution de l'individu (1). »

« Traumatisme » : c'est une notion autour de laquelle gravite la pensée de Freud à cette époque, depuis sa collaboration avec Breuer et déjà dès les années où il subit l'influence de Charcot. Ramener l'hystérie à un traumatisme c'est là le problème. Mais le modèle du traumatisme physique, comme effraction d'origine externe, est bien insuffisant lorsqu'il s'agit du trauma psychique. Ici l'explication ne peut être atteinte que par un schéma en deux temps : on peut dire, en un sens, que le traumatisme se trouve entièrement dans le jeu de « fallace » qui produit une espèce de bascule entre les deux événements. Aucun des deux événements n'est en lui-même traumatique, aucun n'est afflux d'excitation. Le premier ? Il ne déclenche rien, ni excitation, ni réaction, ni symbolisation ou élaboration psychique ; nous en avons vu les raisons : l'enfant, à l'époque où il est objet de l'attentat par l'adulte, ne posséderait pas encore les représentations nécessaires à sa compréhension. On peut alors légitimement se demander quel est le statut psychologique du souvenir de la première scène, dans l'intervalle de temps qui la sépare de la seconde. Il semble bien que, pour Freud, il ne persiste ni à l'état conscient, ni proprement à l'état refoulé ; il demeure là, en attente, comme dans les limbes, dans un coin du «préconscient»; l'essentiel est qu'il n'est pas relié au reste de la vie psychique. Nous assistons à la formation de ce qui est désigné, dans les « Études

---

(1) *Ibidem.*, trad. fr., p. 366. All. p. 435. Les remarques entre crochets sont de J. Laplanche.

sur l'hystérie », du terme de « groupe psychique séparé ».

Si le premier événement n'est pas traumatique, le second devrait l'être, si l'on peut dire, encore moins. Il s'agit cette fois d'un événement non-sexuel, une scène banale de la vie quotidienne : aller dans un magasin où se trouvent deux vendeurs, qui peut-être sont pris d'un fou rire. Et pourtant c'est cette seconde scène qui déclenche l'excitation en éveillant le souvenir de la première : ce souvenir agit désormais comme un véritable « corps étranger interne », attaquant maintenant le sujet de l'intérieur, provoquant en lui l'excitation sexuelle.

Pour prouver qu'une telle explication n'est pas liée à un moment fugitif de la théorie freudienne, nous pourrions apporter toute une série de passages et même l'ensemble des textes de cette période. Citons seulement un fragment des « Études sur l'hystérie » qui reprend la même idée, mais ne se comprend bien que par les développements des lettres à Fliess et du « Projet de psychologie scientifique » :

« La relation causale du traumatisme psychique déterminant avec le phénomène hystérique n'est pas telle que le trauma déclencherait le symptôme comme un *agent provocateur*, symptôme qui persisterait ensuite de façon indépendante. [Il n'y a donc pas déclenchement par l'événement d'un symptôme qui persisterait par lui-même. Nous allons voir que ce qui persiste n'est pas le symptôme, ou plutôt le symptôme ne persiste que parce qu'autre chose persiste]. Nous devons bien plutôt affirmer que le trauma psychique ou plutôt son souvenir [ce qui est traumatisant au sens propre, ce n'est pas l'événement que nous nommons improprement trauma psychique, mais le souvenir] agit à la façon d'un corps étranger qui reste un agent actif longtemps après sa pénétration. » (1).

---

(1) Freud (S.) et Breuer (J), *Études sur l'hystérie*, G.W.,I, p. 85. Trad. Fr., Paris, P. U. F., 1956, pp. 3-4. Les remarques entre crochets sont de J. Laplanche.

Du modèle du traumatisme physique nous sommes passés au traumatisme psychique, non point par on ne sait quelle analogie vague et impensée d'un domaine à l'autre, mais par un mouvement précis : le passage de l'externe à l'interne. Ce qui définit le traumatisme psychique, ce n'est pas une qualité générale du psychisme, mais le fait que le traumatisme psychique vient de l'intérieur. Il s'est formé une espèce d'*externe-interne*, une « épine dans la chair », ou, pourrait-on dire, une véritable épine dans l'*écorce du moi*. L'ancienne formulation de Breuer et Freud signifie exactement la même chose, dans son apparente banalité : « les hystériques souffrent de réminiscences » ; car les réminiscences sont là, comme un objet intérieur, qui constamment attaque le moi. La réminiscence, ou le fantasme, dans l'exemple d'Emma, c'est l'intériorisation de la première « scène ». Ainsi, préservé de toute usure de par le processus du refoulement, le fantasme devient source permanente d'excitation libre. Par ce détour de la scène fantasmatique introjectée, nous retrouvons la notion de *source* de la pulsion que nous commentions dans la précédente conférence à partir d'une tout autre base, en nous appuyant sur le développement « biologique » qui nous est présenté dans les « Trois essais sur la théorie de la sexualité ». Tout vient de l'extérieur, peut-on soutenir, dans la théorie freudienne, mais en même temps tout l'efficace vient de l'intérieur, d'un intérieur isolé et enkysté.

Nous citerons, pour terminer, la conclusion du chapitre sur le « proton pseudos », où à nouveau la défense normale est opposée à cette quasi-impossibilité de défense, ou à cette défense cataclysmique qu'est le refoulement hystérique :

« Il appartient donc au moi d'empêcher toute libération d'affect qui permettrait le déroulement d'un processus primaire. Le meilleur instrument dont il dispose pour ce faire est le mécanisme de l'attention. Lorsqu'un investissement libérateur de déplaisir est capable d'échapper à l'attention, l'intervention du moi est trop tardive. C'est là justement ce qui arrive dans le cas du proton pseudos hystérique. [Le ressort de l'explication va être l'incapacité du moi à faire jouer les mécanismes normaux de l'attention, ceci dans la mesure où le moi est « attaqué », pourrait-on dire, du côté où il ne « s'y attendait pas ». Ses défenses sont orientées en direction de la perception. Ici, elles vont se trouver prises à revers. De cette terminologie « anthropomorphique » et apparemment bien naïve, nous aurons à rendre compte.] L'attention est un dispositif dirigé vers les perceptions, car ce sont elles qui généralement sont susceptibles de provoquer une libération de déplaisir. Mais ici c'est une trace mnésique et non pas une perception qui, inopinément, libère du déplaisir, et le moi le découvre trop tard parce qu'il ne s'y attendait pas ; il a laissé se dérouler un processus primaire. Par là se trouverait confirmée l'importance d'une des conditions nécessaires que nous a fait connaître l'expérience clinique : *le retard de la puberté rend possibles des processus primaires posthumes* » (1).

Tout ce développement peut, en un sens, sembler bien « historique » et par là anachronique, par rapport à ce que nous savons maintenant — ou à ce que nous croyons savoir — en psychanalyse, de la psychologie des pulsions et surtout de la psychologie du moi. C'est pourquoi nous soulèverons, en guise de conclusion, un certain nombre de questions visant à rendre plus sensible le caractère encore actuel de cette théorie freudienne.

Première question : *pourquoi la sexualité ?* La réponse de Freud c'est que seule la sexualité est susceptible de se prêter à cette action en deux temps qui est aussi une action après-coup. C'est là et seulement là que nous trouverions ce jeu complexe et sans cesse répété, au sein d'une succession

---

(1) Freud (S.), in : *Naissance de la psychanalyse*, trad. fr., Paris, P. U. F., 1956, pp. 368-369. All. p. 438. Les remarques entre crochets sont de J. Laplanche.

temporelle faite d'occasions manquées, de « trop tôt »
et de « trop tard ». Fondamentalement, il s'agit de la relation, chez l'être humain, entre son « acculturation » et sa
sexualité « biologique », à condition qu'on entende bien que
celle-ci est déjà, de son côté, partiellement « dénaturée ».
Trop tard ? C'est la sexualité biologique avec ses étapes
maturationnelles et essentiellement le moment de la puberté ;
cette sexualié organique vient trop tard, ne fournissant pas
à l'enfant (qui constitue le sujet principal des « Trois essais »)
de répondants « affectifs » et « représentatifs » suffisants
pour intégrer la scène sexuelle et la « comprendre ». Mais
en même temps la sexualité vient trop tôt comme relation
interhumaine, elle vient comme de l'extérieur, apportée
du monde de l'adulte.

Une seconde question vient ici se greffer : si l'essentiel
du schéma freudien renvoie à cette dialectique du trop tôt
ou du trop tard de la puberté, et finalement du rythme
d'instauration de la sexualité chez l'homme, la valeur de
l'explication ne peut-elle subsister au-delà du problème de
fait que pose la *réalité effective de la séduction ?* Nous rappelions plus haut, à propos de la séduction comme scène et
non comme théorie, que Freud, jusqu'à la fin de son œuvre,
a continué à soutenir la réalité des scènes de séduction. Fréquemment il y est revenu, non sans modifier l'accent de ses
affirmations : finalement au delà des scènes de séduction
par le père et au-delà de la séduction d'allure ouvertement
génitale, c'est à la séduction des soins maternels qu'il se
réfère comme à un *premier modèle.* Ces soins, en se polarisant
sur certaines régions corporelles contribuent à les *définir*
comme zones érogènes, zones d'échange qui appellent et
provoquent l'excitation pour ensuite la reproduire de façon
autonome, par stimulation *interne.*

C'est donc à partir de l'excitation par les soins que nous
pouvons imaginer ce qu'est originairement la séduction.
Mais ici il faut faire un pas de plus et ne pas nous en tenir

à la pure matérialité des gestes excitants, si tant est qu'on puisse même concevoir isolément cette « matérialité ». On doit en effet concevoir qu'au-delà de tel vécu contingent et fugitif, c'est l'intrusion, dans l'univers de l'enfant, de certaines significations de monde adulte qui se trouve véhiculée par les gestes apparemment les plus quotidiens et les plus innocents. Toute la relation intersubjective primitive, la relation mère-enfant, est porteuse de ces significations. C'est, croyons-nous, le sens le plus profond de cette théorie de la séduction et surtout le sens que Freud a fini par donner à la notion même de séduction :

« Les rapports de l'enfant avec les personnes qui le soignent sont pour lui une source continue d'excitation et de satisfaction partant des zones érogènes. Et cela d'autant plus que la personne soignante — généralement la mère — considère l'enfant avec des sentiments dérivant de sa propre vie sexuelle, le caresse, l'embrasse le berce et le prend, tout à fait évidemment, comme substitut d'un objet sexuel de plein droit » (1).

Soulignons d'ailleurs que l'intérêt pour la séduction ne se limitera pas au seul Freud : la notion sera reprise par certains disciples et successeurs, notamment par un des esprits les plus pénétrants parmi eux. Ferenczi, dans son article sur la « Confusion des langues entre l'enfant et l'adulte » (2) présente la même idée sous la forme d'une grande opposition entre un univers de l'enfant — caractérisé par ce que l'auteur nomme la « tendresse » — et un univers de l'adulte où régnerait la « passion ». Par passion Ferenczi entend la sexualité, non seulement en ce qu'elle comporte des éléments agressifs explicites, mais de par le « négatif »

---

(1) FREUD (S.), *Trois essais sur la théorie de la sexualité*, G.W., V, p. 124. Trad. fr., Paris, Gallimard, 1962 p. 133.
(2) FERENCZI (S.), confusion des langues entre l'enfant et l'adulte. In : *Final contributions to the problems and methods of psycho-analysis*. Londres, Hogarth Press, 1955, pp. 156-157.

qui lui est comme intrinsèquement mêlé : négatif de la jouissance portée jusqu'au point d'anéantissement de l'orgasme, négatif de l'interdit, de ce qui n'est pas à faire et surtout pas à dire. Pour lui le langage de la tendresse et le langage de la passion viennent se rencontrer dans l'enfant, et c'est ce heurt qui est à l'origine du traumatisme, du premier conflit psychique.

Habituons-nous à cette idée que les significations qui sont implicites dans le moindre geste parental, sont porteuses des fantasmes des parents ; en effet, on l'oublie trop souvent lorsqu'on parle de la relation mère-enfant ou de la relation parents-enfants, les parents eux-mêmes ont eu leurs propres parents, ils ont eux-mêmes leurs « complexes », leurs désirs marqués d'historicité, de sorte que reconstruire le complexe d'Œdipe de l'enfant comme une situation triangulaire, en oubliant qu'à deux des sommets du triangle chaque protagoniste adulte est lui-même, pourrait-on dire, porteur de son petit triangle et même de toute une série de triangles emboîtés les uns dans les autres, c'est négliger un aspect essentiel de la situation. Finalement, la structure œdipienne complète est *d'emblée présente*, à la fois « en soi » (dans l'objectivité de la configuration familiale) mais surtout « chez l'autre », en dehors de l'enfant. La voie d'appropriation de cet « en soi » passe d'abord par une appréhension — confuse et d'une certaine façon monstrueuse — du complexe chez l'autre primordial (en principe : la mère).

Parmi les successeurs de Freud les plus originaux et les plus ouverts à la découverte de l'inconscient, nous ferons ici référence, après Ferenczi, à Melanie Klein. Nous savons les « invraisemblances » qu'elle profère, et avec quelle obstination on les lui reproche. Elle prétend introduire, dans la chronologie des stades libidinaux que Freud a établie, un bouleversement inouï. Freud enseigne, schématiquement, que l'enfant a d'abord une activité sexuelle orale, puis une sexualité anale, puis une sexualité phallique et que c'est en

relation avec la sexualité phallique, vers l'âge de 4 ou 5 ans,
que commence à apparaître ce qu'on appelle le complexe
d'Œdipe, la problématique de la castration, et finalement
la génitalité. Au point que pour certains psychanalystes
qui prennent des faits une vue peut-être un peu rapide,
« œdipien » et « génital » sont parfois donnés comme synonymes. De même, on s'exprime fréquemment comme si le
« pré-œdipien » — c'est-à-dire les relations qui précèdent la
structure triangulaire : enfant-mère-père — était également
du domaine du « pré-génital », se jouant donc uniquement
dans le registre de ces activités sexuelles élémentaires et
non-génitales que sont l'oralité et l'analité. Or Melanie
Klein vient introduire là le désordre conceptuel et chronologique le plus complet : elle parle par exemple d'incorporation orale du pénis, elle situe dans la première année
un complexe d'Œdipe « précoce », elle pense que le père, ou
du moins son pénis, joue un rôle pour l'enfant de quelques
mois. Chaque proposition, chaque interprétation de Melanie
Klein vient bouleverser nos idées reçues : non seulement notre
dogmatisme freudien, mais aussi notre « bon sens » (dont
Freud, pourtant avait déjà montré combien il pouvait être
trompeur) ; comment un enfant de 6 mois ou d'un an peut-il
craindre, par exemple, une intrusion dans son corps du
pénis du père, intrusion susceptible d'entraîner les pires
désastres : brûlure, dilacération, dévoration de l'intérieur,
morcellement etc. ? A quoi peuvent bien correspondre de tels
processus ou de tels fantasmes que bien peu d'éléments,
dans l'observation *directe* de l'enfant, viennent corroborer ?
Et, certes, cette sorte de crudité ou de naïveté dans l'énoncé
des scénarios les plus absurdes peut paraître choquante,
surtout si on ne la remet pas en relation avec une *pratique
de l'interprétation* dans l'analyse d'enfant. Mais, en dehors
même d'une telle remise en perspective par rapport à l'impact d'une pratique, nous sommes persuadé qu'il existe
une vérité théorique de la pensée kleinienne, une façon de

la réinterpréter en retrouvant ce qui peut, dans la « réalité psychique », constituer son fondement. C'est justement le fait que, dès les premières relations — fussent-elles des relations « duelles » avec la seule mère —, le père fût-il absent — et en effet il l'est presque totalement, comme personnage réel, pour le nourrisson —, une certaine présence d'un tiers élément commence à jouer un rôle. En ce sens, le père est d'emblée présent, la mère fût-elle veuve : il est présent parce que la mère elle-même a eu un père, parce qu'elle-même vise un pénis ; et aussi, nous le savons, parce que la mère vise dans son propre enfant, et *au-delà* de lui, le pénis qu'elle désire. Ces vérités, qui se vérifient quotidiennement dans la psychanalyse de la femme mais que nous oublions si facilement lorsqu'il s'agit de l'enfant de cette même femme, le kleinisme vient, par son détour fantasmatique, nous les remettre en mémoire.

Ce qui est décrit, de façon schématique et presque caricaturale, comme un *événement* dans la théorie freudienne du *proton pseudos*, comprenons qu'il s'agit d'une sorte d'implantation de la sexualité adulte dans l'enfant. Nous pensons qu'il y a lieu de le réinterpréter, non plus comme événement, comme traumatisme vécu et datable, mais comme un fait à la fois plus diffus et plus structural, un fait plus originaire aussi en ce sens qu'il est tellement lié au processus de l'humanisation que c'est seulement par abstraction que nous pouvons supposer l'existence d'un petit homme « avant » cette séduction. Car, bien sûr, parler d'un enfant d'abord « innocent » c'est là forger un mythe exactement symétrique de celui de la séduction. Et ceci nous amène à une *troisième remarque* :

Nous nous sommes proposé, au début de cette seconde conférence, un thème que nous craignons de n'avoir traité que très partiellement : la sexualité et l'ordre vital dans le conflit. Nous avons tenu notre promesse en ce sens que nous nous sommes effectivement demandé, avec Freud et à sa suite, comment il se fait que la sexualité se trouve au centre du conflit psychique. Mais quel est le facteur — ou la « force » — qui entre en conflit avec la sexualité ? Nous rencontrons là toute une série de réponses possibles, mais nous n'en citerons d'abord que deux. Première solution : s'il est vrai que nous sommes effectivement en présence de cette sorte d'effraction de la sexualité humaine dans l'ordre vital, si c'est la « vie » que la sexualité vient déranger, ne serait-ce pas l'ensemble des forces qui protègent cette vie — réunies sous le terme de « pulsion d'autoconservation » — qui deviendraient le moteur du refoulement. Cependant — nous l'indiquons à l'instant — il est douteux que nous ayons le droit d'hypostasier cet ordre vital, chez l'être humain, comme un « avant », un *a priori* ou une infrastructure. Tout ce que nous savons des mécanismes vitaux élémentaires chez le nouveau-né, si nous les comparons à ce qui se passe chez l'animal et même chez le petit animal, nous montre au contraire le caractère profondément immature de ces fonctions vitales chez l'être humain ; et c'est justement par là que s'introduit la sexualité.

La seconde réponse, Freud nous la présente d'emblée dans son œuvre : ce qui s'oppose à la sexualité, ce qui est par elle attaqué « de l'intérieur », c'est le « moi ». Nous avons vu que le sens du *pseudos*, mensonge ou fallace, c'est *aussi* que le moi est tourné, pris à revers comme par une ruse de guerre. Le « proton pseudos » c'est aussi cette ruse : le moi est pris du côté où il « ne s'y attendait pas », il est débordé, désarmé, livré au processus pulsionnel, à ce processus primaire contre lequel il était cependant tout entier *constitué*.

Ainsi notre réflexion sur le conflit et notre interrogation sur les forces qui s'opposent à la sexualité nous amènent au thème de nos deux prochains développements : la problématique du moi.

III

LE MOI ET L'ORDRE VITAL

Faisons d'abord le point, en rappelant le résultat de nos deux premières études : la sexualité surgit, chez le petit être humain, par *déviation* et *retournement auto-érotique* des processus vitaux. Et, d'autre part, la sexualité — ce terme étant toujours pris dans son acception « généralisée » — apparaît comme *implantée* dans le petit d'homme à partir de l'univers parental, de ses structures, de ses significations et de ses fantasmes.

Évidemment ce sont là les deux faces d'un même processus : intériorisation auto-érotique et constitution de ce « corps étranger interne » — le fantasme — source continue de la pulsion sexuelle. Mais, d'autre part, la seconde perspective vient corriger profondément la première. La genèse, dans le premier cas, signifierait encore émergence, processus linéaire, ou, pour ainsi s'exprimer, une sorte de sécrétion de la sexualité par tous les processus vitaux, ce qui impliquerait, dans un temps *préalable* à l'auto-érotisme, l'existence cohérente d'un ordre vital chez l'homme. La seconde perspective, au contraire, ne nous permet de concevoir les phénomènes que comme voués à l'après-coup et à la rétroaction.

L'effraction de la sexualité à partir de l'autre implique bien
un point d'appel biologique, mais celui-ci est très particulier.
Loin que ce soit par son efflorescence que l'ordre vital abou-
tisse à la sexualité, c'est par son insuffisance qu'il appelle
l'intrusion de l'univers adulte. Débilité, prématuration de
l'ordre vital chez le petit d'homme, voilà des termes auxquels nous sommes habitués, déjà chez Freud ; ils permettent
de comprendre que, dans toute son extension cet « ordre »
vital soit infesté par l' « ordre » sexuel. *Infesté*, mais aussi
soutenu. Pourquoi faut-il qu'on ait si souvent à forcer les
enfants à manger, pourquoi faut-il leur proposer « une
cuiller pour papa, une cuiller pour maman », c'est à dire
une cuiller pour l'amour de papa, une cuiller pour l'amour
de maman, si ce n'était que l'appétit est soutenu et vicarié,
chez l'enfant humain, par l'amour ? La preuve *a contrario*
réside dans l'anorexie mentale, où le trouble d'ordre sexuel
induit directement un trouble de l'autoconservation, c'est-
à-dire de la fontion alimentaire.

Revenons encore au problème du conflit. Nous nous
sommes demandé : qu'est-ce que la sexualité attaque, qu'est-
ce qui, finalement, se défend contre elle ? Première tentative
de réponse chez Freud : nous avons à notre disposition un
dualisme de forces vitales, d'un côté « l'amour », de l'autre
« la faim », d'un côté la sexualité, de l'autre l'autoconservation. Ce qui se défend dans cette vue freudienne, c'est
l'individu en lutte pour sa survie, survie qui serait menacée
par la sexualité. Et il faut bien avouer que l'existence d'un
tel conflit, entre pulsions sexuelles et pulsions dites d'auto-
conservation, a été constamment affirmée par Freud dans
toute une partie de son œuvre, à une certaine période :
c'est là, nous dit-il « ... une hypothèse à laquelle j'ai été
contraint par l'analyse des pures névroses de transfert ».
Peut-être même finit-il par se convaincre lui-même de la
valeur significative de ce schéma ? Mais si l'on examine
d'un peu près les écrits cliniques de Freud, et aussi

ceux de ses disciples, on peut dire que *jamais* cette théorie n'a été véritablement appliquée à l'analyse concrète du conflit. Un seul texte, un petit texte, bien mince, sur « la Conception psychanalytique des troubles psychogènes de la vision » (1910), c'est-à-dire sur des troubles apparentés à la cécité hystérique, développe l'idée que l'appareil de la vision est le siège et le lieu d'un conflit entre deux fonctions : une fonction d'autoconservation et une fonction d'excitation sexuelle. Mais il faut bien dire que, pas davantage dans ce texte que dans d'autres, jamais n'est vraiment dégagé le conflit *entre* les deux. Nous dirions plutôt que la fonction, l'autoconservation, donc la vision dans sa fonction toute simple, apparaît là comme le *terrain* du conflit et du symptôme et non comme un des *termes* de l'opposition. D'une façon générale on peut soutenir qu'il existe une grande témérité ou une grande faiblesse dans l'idée que la sexualité puisse menacer *réellement* la vie de l'enfant et son auto-conservation. Ce qu'elle menace certes, c'est une certaine intégrité, mais une intégrité qui n'est pas *directement* l'intégrité vitale. Qu'on pense par exemple au rôle central dans la théorie freudienne, non pas de l'angoisse de mort mais précisément de l'angoisse de castration comme menace par rapport à l'intégrité corporelle : c'est dire que ce qui est menacé, beaucoup plus que la vie, c'est *un certain représentant de la vie,* un certain représentant de l'ordre vital, ce qui nous introduit désormais à la question du *moi.*

Le *conflit du moi et de la sexualité* a été posé d'emblée par la psychanalyse et ceci dès les premiers écrits, aussi bien dans les études théoriques que dans les textes cliniques : dans les « Études sur l'hystérie », il s'agit d'une notion constamment présente. Reste à se demander ce qui est désigné par ce mot de « moi », derrière le « *Ich* ». Indéniablement, il y a là *une certaine* relation à la vie, une certaine articulation avec la conservation de l'individu ou, pour préciser déjà notre pensée, une certaine relation à *l'individu vivant* comme totalité. Le moi, nous est-il dit constamment — et nous nous repérons aujourd'hui encore sur ces termes dans notre pratique — le moi est une unité englobante : nous lui attribuons une tendance unitaire, une « fonction synthétique » ; nous le concevons comme le représentant (dûment mandaté, ou usurpateur ?) des intérêts du tout.

Il faut rappeler — c'est là un point d'histoire des idées qui n'est pas sans importance — que dans l'œuvre de Freud on a voulu séparer deux acceptions tout à fait différentes du « moi ». Tantôt, prétendent les « historiens », Freud parle du « moi » comme on en parle dans la vie quotidienne, pour désigner simplement l'individu. Le moi c'est alors l'individu tel qu'il se différencie de l'autre, spécialement l'individu biologique, mais aussi l'individu psychologique comme lieu du conflit, enjeu du conflit mais non partie prenante dans celui-ci. Et puis il faudrait séparer de ce sens assez banal, non « technique », un sens proprement psychanalytique où le moi, cette fois, est pris comme une partie de la totalité et non plus comme la totalité elle-même, comme une « instance », et, de ce fait, comme un des protagonistes du conflit qui clive l'individualité.

Il est vrai qu'on peut arriver parfois, non sans arbitraire, à distinguer ces deux acceptions dans les écrits freudiens ; cependant, si nous voulons bien accorder aux faits de langage une valeur qui ne soit pas « purement verbale », si nous croyons que ce n'est jamais pour rien qu'un *même* mot est utilisé pour désigner deux choses apparemment différentes, tout le problème n'est-il pas dans le rapport des deux « acceptions » d'un même mot, et ne faut-il pas rendre compte du fait qu'on les utilise en tels contextes différents ? Pour passer directement de cette question terminologique générale au problème de fond, nous nous demanderons comment une « instance », un « système », une « *agence* » (comme on le traduit en anglais) de la personnalité peut se trouver avoir la délégation des fonctions de l'individu, fonction étant pris ici au sens le plus large, pour désigner aussi bien les fonctions élémentaires (nous mentionnions tout à l'heure l'alimentation) que des fonctions plus élevées, que ce soit la « perception », la « conscience » ou la « pensée » ?

Nous nous trouvons là en présence de ce que nous nommerons à la suite de M. Foucault, un problème de « dérivation » (1). Nous voulons parler du glissement de sens d'un concept, lorsqu'il passe notamment d'un certain usage « non-technique » à une nouvelle acception dans le champ d'une science, et puisqu'il s'agit de psychanalyse, dans le champ de la science psychanalytique. Et ce que nous voudrions faire sentir, c'est que ce glissement de sens — s'il doit véritablement atteindre une certaine profondeur et si le penseur est un penseur original — doit s'opérer parallèlement à un certain glissement *dans la réalité même*. Entendons ici, dans le cas particulier dont nous traitons, que la dérivation n'est pas seulement celle qui mène d'un sens du mot « moi » à un autre (Freud ayant emprunté un terme au langage de la pensée commune, ou philosophique, pour en faire un usage tout personnel) mais que c'est aussi (et sans doute originairement) une dérivation au sein de la réalité elle-même : la dérivation dans les concepts a peut-être emprunté des voies parallèles à celles de la dérivation dans l'être même, ou plus exactement dans le domaine des *entités* puisque ce sont bel et bien des entités que Freud désigne du terme d' « instances » : le moi mais aussi le surmoi ou le ça.

Nous indiquons, dans cette dérivation à la fois du concept et de l'être, deux dimensions, en reprenant ici les distinctions apportées depuis fort longtemps par ceux qui ont étudié l'évolution du sens des concepts : une dérivation par contiguïté qu'on nomme depuis longtemps, dans le

____

(1) Cf. notre article : « Dérivation des entités psychanalytiques in : *Hommage à Jean Hyppolite*, Paris, P. U. F., 1970.

langage technique de la linguistique ou de la rhétorique, dérivation métonymique ; et d'autre part une dérivation par ressemblance ou dérivation métaphorique.

Que peut-on vouloir dire en parlant de dérivation métonymique du « moi » ? C'est qu'entre le moi comme individu (au sens « non-technique ») et le moi « instance », comme élément de la structure psychique, il y aurait un rapport qui serait précisément un rapport de contiguïté, ou, pour parler plus précisément, un rapport de différenciation. Le moi apparaît ici comme un organe spécialisé, véritable prolongement de l'individu, chargé sans doute de certaines fonctions particulières mais ne faisant que localiser quelque chose qui était déjà présent d'emblée dans l'ensemble de l'être vivant. Ce que nous désignons ici comme « conception métonymique du moi » représente la tendance théorique dominante, en psychanalyse, concernant le problème du moi. Ce qu'on nomme aujourd'hui « *ego psychology* », c'est en effet une conception qui fait du moi une agence de la personne totale, différenciée, on le sait, essentiellement en fonction des problèmes de l'adaptation. « Psychologie du moi et problème de l'adaptation », c'est là le titre d'un des articles inaugurant cette « *ego psychology* » ; la psychologie du moi y est tout entière conçue à la lumière du problème d'adaptation. Cette « *ego psychology* » a le mérite — ou du moins l'ambition — de vouloir rétablir le pont entre la psychanalyse et les découvertes ou les recherches de la psychologie non-psychanalytique, que ce soit la psycho-physiologie, la psychologie de l'apprentissage ou encore la psychologie de l'enfant ou, la psychologie sociale. Bref, tout l'immense champ de la connaissance et de la recherche psychologiques doit bien être rattaché dans l'individu *à quelque chose*, et puisque nous, psychanalystes, avons su disséquer l'individu en différentes parties, il faut bien que la psychologie trouve à s'insérer dans une de ces parties ; et assurément la partie où elle trouve le plus facilement à se loger, c'est le moi. Comment définir cette situation du moi comme prolongement spécialisé de l'individu ? On pourrait le faire selon trois perspectives : perspective de la genèse, perspective de la situation dans le conflit névrotique et psychotique, donc perspective que nous nommons d'habitude « dynamique », enfin problème du statut économique du moi, ce qui revient à se demander de quelle énergie une instance dispose au sein du conflit.

Genèse : au sein de cette « *ego psychology* », c'est une différenciation progressive, « superficielle », d'un certain appareil à partir du contact avec la réalité, contact dont le point de départ est conçu comme la perception et la conscience, point de jonction privilégié entre l'individu organique et le monde extérieur. Une telle genèse implique bien des difficultés, dont la moindre n'est pas de savoir *qu'est-ce qui se différencie* ainsi en surface. Est-ce l'individu biologique, le vivant ? Mais alors, quel est le rapport de cette « surface » différenciée avec la surface de l'individu qu'est, réellement, sa peau ? Freud a essayé, non sans difficulté, d'établir là un rapport assez précis en rappelant qu'en anatomie et en embryologie le système nerveux central est un dérivé de la surface cutanée, ou plus précisément de l'ectoderme. Que la peau et le système nerveux central aient une origine commune, cette constatation avait peut-être, pour Freud une valeur dépassant celle de l'*image*, mais à vouloir pousser ce raisonnement dans ses retranchements scientifiques, on aboutirait vite à des contradictions (1)... Ou bien est-ce l' « individu psychique » qui se différencie, et qu'est-ce à dire ? ou bien est-ce, au-delà même, peut-être, de la psyché,

---

(1) Le cortex, la substance grise « siège » de la perception et de la conscience, est à la *surface* du cerveau. Mais du point de vue embryologique il n'est pas dérivé de couches plus « superficielles » que la substance blanche. Et du point de vue des voies anatomo-physiologiques c'est lui qui se trouve le plus à distance des récepteurs périphériques. Mais tel est le génie de Freud que, pour décrire des structures imaginaires, il utilise (avec une désinvolture exemplaire) une anatomie imaginaire.

ce qui est désigné comme « ça »? On connaît les hypothèses d'un texte inspiré mais hérissé de difficultés, « Au-delà du principe de plaisir » : là est repris le *modèle* d'une vésicule vivante dont la surface, sous l'impact des chocs venant de la réalité du monde extérieur, se différencie, formant une espèce d'enveloppe à la fois perceptrice et protectrice. La question de fond que nous posions à l'instant — qu'est-ce qui se différencie en surface — se recoupe exactement avec cette autre interrogation : qu'est-ce qu'un *modèle*? Quel est le sens du modèle *biologique* utilisé là par Freud, vésicule protoplasmique ou protozoaire? est-ce une « simple » comparaison? Est-ce au contraire quelque chose qui va beaucoup plus loin, qui est fondé dans l'être même du sujet?

Rappelons, à propos d' « Au-delà du principe de plaisir » cette curieuse série de formes emboîtées les unes dans les autres avec, pour chacune, sa surface protectrice-réceptrice propre : le corps et la peau, l'appareil psychique et le moi, le moi lui-même et son écorce. Et puisque nous faisions allusion aux difficultés d'une conception génétique qui présente le moi comme métonymie de l'organisme c'est-à-dire comme prolongement différencié de celui-ci, une autre question, non moins difficile, serait de savoir — puisque parmi ces différents niveaux c'est le niveau « psychique » qui est au centre de notre intérêt — *par quoi est médiatisé au niveau psychique cet impact de la réalité* auquel Freud fait parfois jouer un si grand rôle? Faut-il reconnaître à la réalité une sorte de force propre au niveau du psychisme et qu'est-ce que cela veut dire si la réalité est conçue avant tout comme réalité physique, comme « monde extérieur »? Comment cette réalité se transforme-t-elle en force « psychique », susceptible d'agir et de *différencier* ainsi notre psychisme?

Second point de vue sur le moi, le point de vue *dynamique*, celui du conflit : eh bien, dans l' « *ego psychology* » — entendons par là celle de Freud lui-même et non pas seulement celle de ses successeurs — c'est encore sur la réalité que l'accent est mis à propos du conflit. La réalité, dans cette perspective, se voit attribuer la dignité d'une véritable instance, une instance dont le moi ne ferait, pour ainsi dire que concentrer les effets, en assurant une maîtrise progressive des pulsions. Nous citerons ici un passage de « Le moi et le ça », texte majeur de ce tournant vers la psychologie du moi :

« Le moi s'efforce de faire régner l'influence du monde extérieur sur le ça et ses tendances, il cherche à mettre le principe de réalité à la place du principe de plaisir qui règne sans restriction dans le ça. *La perception joue, pour le moi, le rôle qui revient à la pulsion dans le ça* (1). »

Cela signifie qu'une *force propre* est attribuée, dans le conflit psychique, à la réalité. Ce n'est pas tellement le moi qui agit par ses énergies propres, en faisant droit aux exigences du réel, mais c'est le réel lui-même qui semble jouer le rôle d'une véritable instance ; tout au moins au départ, avant que la différenciation de l'appareil psychique ne soit complète. Le moi, dans cette conception, se trouve branché directement sur la réalité par le moyen du « système Perception-Conscience » et par les premiers appareils perceptifs différenciés, les organes des sens. Une notion comme celle de *Realitätsprüfung* — notion qui, croyons-nous, est beaucoup plus ambiguë si on veut bien la prendre dans toute l'étendue de la pensée freudienne et de notre expérience — est prise ici en son sens le plus banal, celui d'une épreuve *de la* réalité. Elle rejoint ainsi une fonction explorée par d'autres moyens d'investigation psychologique : l'apprentissage. Épreuve *de la* réalité, ce n'est pas autre chose que de corriger la distorsion imposée à la réalité par nos désirs. Les échecs de cette épreuve de la réalité fournissent le

---

(1) Freud (S.), *Le moi et le ça*, G.W., XII, pp. 252-253. Trad. fr., in *Essais de Psychanalyse*, Paris, Payot, 1948, p. 179. (Les mots soulignés le sont par nous).

tableau des diverses affections psychiques, aussi bien, à un degré mineur, la névrose, qu'à un degré majeur et démonstratif, l'hallucination psychotique. Si le moi est assez fort pour faire prévaloir son accès à la réalité, nous dit-on, l'hallucination se trouve *corrigée*, résorbée ; si bien que la psychothérapie de l'hallucination psychotique devrait se proposer pour tâche de *réduire* l'illusion en faisant appel au peu d'énergie qui reste dans le moi, en essayant de développer la « fonction de réalité » du moi.

Enfin, troisième point de ce rapide panorama de la « psychologie du moi » : quelle est, du point de vue *économique*, la force dont il dispose ? Là aussi le terme-clé est celui de continuité : continuité avec les pulsions du ça et notamment avec une partie de ces pulsions qui vont être nommées, dans la « dernière théorie », pulsions de vie. Ces pulsions de vie se trouvent désexualisées dans le moi ; le moi est un transmetteur de l'énergie « vitale » du ça, qu'il épure, domine et aiguille au mieux.

A l'opposé de l'orientation que nous avons désignée comme métonymique situons une seconde conception du moi, celle que nous nommons « métaphorique ». Cette fois, le moi n'est pas conçu comme un prolongement de l'individu vivant mais comme un *déplacement* de celui-ci, ou de son image, en un *autre lieu*, donc comme une sorte de réalité intrapsychique, une concrétion intrapsychique à l'image de l'individu. S'agit-il de l'image de soi ? Plusieurs auteurs, mentionnons-le, voudraient introduire, à côté du moi, la notion d'un « soi », « *selbst* » ou « *self* », mûs probablement par le sentiment qu'il y avait là, dans l'appareil psychique, une place laissée vide par la conception purement *fonctionnelle* du moi. Pourtant le point essentiel qui nous est déjà indiqué par Freud et qui rend inutile voire fallacieuse une distinction d'un « moi » et d'un « soi », c'est la constatation que la genèse du moi lui-même est marquée par l'image, indissolublement liée, de soi et de l'autre.

Ici, c'est tout le champ de l'identification qui s'ouvre. Ce n'est cependant pas par cette *genèse* identificatoire du moi que nous commencerons, dans la mesure où nous nous proposerons de suivre la pensée freudienne dans son évolution. En effet la notion d'identification, seule susceptible de rendre pleinement compte de la formation de l'instance métaphorique du moi, ne sera développée que de façon relativement tardive et incomplète. Mais avant que Freud ait pu se demander, dans une perspective identificatoire, comment apparaissait le moi, il a eu une sorte d'intuition de cette *position* du moi comme réalité intra-psychique, donc de la position à la fois structurale et économique du moi. Dans la présente conférence et dans la prochaine, nous essayerons de retracer rapidement cette *problématique métaphorique du moi* à travers trois moments de la pensée freudienne. D'une part dans une première étape, avec ce modèle apparemment si abstrait qu'est le « Projet de psychologie scientifique » de 1895 ; puis à travers un texte bien plus élaboré, l' « Essai sur le Narcissisme » de 1914 ; enfin, plus succinctement, en faisant allusion aux développements ultérieurs du concept d'identification.

Le « Projet de 1895 » est, soulignons-le à nouveau, *le* grand écrit freudien sur le moi, une réflexion beaucoup plus centrée sur cette question qu'aucun des textes de Freud ne le sera jamais par la suite, y compris « Le moi et le ça ». Pour situer ici, d'un point de vue structural et aussi économique, la position et la fonction du *moi* dans ce texte, il nous faut d'abord esquisser rapidement le modèle de l'appareil psychique, ou « appareil de l'âme » (1) dans lequel il s'insère. Modèle, on le sait, d'apparence neurologique, puisqu'il s'agit de tout reconstruire, le psychisme humain

---

(1) *Seelischer Apparat*. L'alliance insolite de ces mots vient souligner toute l'originalité du « réalisme » freudien.

et son fonctionnement « normal » aussi bien que la théorie des névroses, à partir de deux hypothèses de base : l'hypothèse du neurone — fondement du point de vue topique ou structural —, et l'hypothèse de la quantité — fondement du point de vue économique. Évidemment la référence s'impose à tout le courant de pensée rationaliste et matérialiste qui, depuis des siècles sinon des millénaires, entend rendre compte des phénomènes à partir de deux ingrédients de ce type : neurone et quantité, c'est un nouvel avatar de ce qui, chez Descartes par exemple, se nomme figure et mouvement, ou encore, dans l'école « physicaliste » de Helmholtz qui a tellement influencé Freud, masse et énergie. En cette fin du xixe siècle, Freud ne prétend d'ailleurs pas, *en cela*, à l'originalité : « Des tentatives de ce genre — souligne-t-il — sont aujourd'hui courantes » ; et en effet on a pu montrer que le projet de Freud n'était pas le seul à tenter d'utiliser en une synthèse ambitieuse, les toutes récentes découvertes de la science anatomique et de la physiologie débutante du système nerveux. Voyons-y cependant de plus près, avant de répéter, comme on le dit fort communément parmi les freudologues, que c'est là la première et sans doute la dernière tentative de Freud pour glisser sa toute neuve découverte psychologique dans un vieux récipient ou un moule inadéquat, c'est-à-dire dans une théorie neurologique. Lit de Procuste ? Chrysalide dont bientôt se libérera le resplendissant phalène ? Le modèle de l'*Entwurf* est, selon nous, digne d'une considération plus attentive, et nous entendrons bientôt quel son véritablement moderne rendent ses hypothèses.

Les neurones d'abord. Ils sont conçus comme des unités discrètes, toutes distinctes les unes des autres et cependant toutes identiques (*gleichgebaut* : construites sur le même modèle). Ce qui permet de faire aussitôt un pas de plus dans la structure : puisque ces unités sont toutes semblables entre elles, comment les différencier sinon par leur position dans l'ensemble du « système neuronique »? Comment se spécifie cette position? Par le fait qu'il existe entre les extrémités des neurones des connexions, et que, d'autre part, chaque neurone correspond à une bifurcation avec une voie d'arrivée et deux voies de sortie, schéma représentable, au plus simple, comme un Y. Les bifurcations sont aussi branchées les unes à la suite des autres, en une série de dichotomies successives, réalisant un réseau d'une extrême complexité.

Du point de vue du fonctionnement, le caractère essentiel de ces neurones est leur capacité de véhiculer de l'énergie. Mais insistons sur le fait que cette transmission est absolument mécanique, elle est fonction uniquement de ce qu'on pourrait désigner comme une sorte de pente naturelle de chaque meurone, pente qui oblige l'énergie à s'y écouler. En plus de cette capacité de véhiculer l'énergie, les éléments neuroniques sont également capables, dans certaines conditions, de la retenir, de l'emmagasiner, ceci parce qu'à la frontière avec le neurone suivant s'établit une sorte de digue, « barrière de contact » plus ou moins imperméable ou perméable.

La *quantité* maintenant. Eh bien, aucune spécification ni aucune description ne peut en être donnée : c'est une pure quantité sans aucun élément qui vienne la « qualifier ». Cette pure quantité, dont il ne sera jamais rien dit d'autre dans la doctrine freudienne et qui est toujours désignée comme une sorte d'X hypothétique, tout ce que nous en savons c'est que nous avons besoin d'elle comme d'une variable *indépendante* : le long de ces voies qui se combinent en un réseau complexe de conduction, il doit exister quelque chose qui circule et qui soit — au moins en droit — quantifiable, susceptible de plus et de moins, d'addition, de suppression et de décharge.

Voilà, sans aucun doute, un modèle fort abstrait et philosophique. Mais nous voudrions souligner que, chez Freud, il s'agit *aussi* d'un modèle *clinique*. Ce qui donne vie à ce modèle et le fait être autre chose qu'un montage purement spéculatif, c'est l'expérience clinique de la toute naissante psychanalyse et les faits fort étranges qu'elle repère. Ce lien à l'expérience est marqué avec netteté, dès le début du « Projet de psychologie scientifique » : « La conception quantitative est directement tirée des observations patho-logico-cliniques, en particulier de celles où il était question de représentations hyperintenses comme dans l'hystérie ou la névrose obsessionnelle, où le caractère quantitatif se montre plus purement que chez le normal. » (1) De ces « représentations hyperintenses », nous avons naguère rencontré des exemples ; ainsi, dans les « Études sur l'hystérie », ce visage qui brusquement pouvait apparaître accompagné de ce qu'on nomme un affect d'angoisse. Et précisément l'angoisse serait ce qui se rapproche le plus d'une sorte de manifestation quantitative pure ; c'est, si l'on veut, un affect déqualifié, un affect où il ne reste plus que l'aspect quantitatif. Le passage cité se poursuit ainsi : « ... Des processus comme l'excitation, la substitution, la conversion, la décharge, qu'on décrit en psychopathologie, nous ont amenés directement à la conception de l'excitation neuronique comme d'une quantité qui s'écoule. » *Substitution* par exemple, c'est le fait qu'une représentation est susceptible de reprendre à son compte l'affect d'une autre. *Conversion* c'est le fait qu'une partie du corps peut brusquement apparaître comme *chargée* d'une certaine énergie qui produit des mouvements ou au contraire une paralysie, tandis qu'à l'inverse il se trouve que certaines représentations sont neutralisées, presqu'absolument dénuées de résonance affective. La *décharge* enfin peut s'illustrer au mieux par

---

(1) FREUD (S.), *Projet de psychologie scientifique*, in : *Naissance de la psychanalyse*, Paris, P. U. F., 1956, p. 316. Éd. all. Londres, Imago, p. 380.

certaines crises d'angoisse où l'affect peut à la limite, se manifester à l'état isolé, en dehors de toute représentation consciente.

Représentation et *affect*, ce sont là les éléments repérés dans la clinique, ou tout au moins les concepts qui permettent de s'orienter au mieux dans l'expérience si étrange des névroses. Or ces deux notions cliniques correspondent exactement, point par point, aux deux notions de base dans le modèle de l'appareil psychique : le neurone y figure la représentation, la quantité est l'élément dernier de l'affect. Le phénomène frappant qui se dévoile dans l'exploration clinique des névroses, c'est l'*indépendance entre la représentation et l'affect*, la possibilité d'un déplacement de l'un par rapport à l'autre. Un tel déplacement — nous l'avons vu à propos du « proton pseudos » — peut, dans certains cas, être total, entre le symbole et ce qui est symbolisé : le symbole est susceptible de recevoir tout le « quantum d'affect », tandis qu'à l'inverse le symbolisé est si parfaitement désinvesti que finalement il se trouve refoulé, inaccessible.

Ayant ainsi rappelé à quelle expérience vivante et *neuve* s'alimente le schéma physicaliste de l'appareil neuronique, nous aurons moins scrupule à nous laisser entraîner, à la suite de Freud, dans les détails de son fonctionnement. Juxtaposons maintenant nos deux termes, celui de neurone et celui de quantité. Nous sommes en présence de systèmes neuroniques, enchaînements de bifurcations neuroniques successives que Freud nomme également, sans autre précaution, des systèmes « « mnésiques », en vertu de l'équivalence : neurone = représentation, qui est à la base de son hypothèse. Un système mnésique est un système de mémoire ou de souvenirs, mais avec une caractéristique remarquable : *rien de qualitatif ne s'y inscrit directement*. Il s'agit bien sûr d'un montage susceptible d'enregistrer des « *engrammes* », mais l'engramme freudien n'est absolument pas assimilable à une « image », à un « analogon » de l'objet perçu. Toute l'originalité d'une inscription engrammatique donnée tient uniquement à la spécificité des voies suivies par la quantité circulante. Et cette spécificité se résume uniquement dans la différence entre deux voies ou dans la succession de différences qui fait qu'à une première bifurcation la voie *a* est choisie et non pas la voie *b*, l'une étant « frayée » et l'autre comportant au contraire une « barrière » ; à la bifurcation suivante ce sera la voie de droite qui sera choisie et non pas celle de gauche, à la troisième ce sera l'inverse ainsi de suite (1). C'est donc la *structure de l'ensemble*, la *suite de ces « choix » dans une série de bifurcations*, qui forme à elle seule, pour chaque souvenir, une constellation unique. On saisit là aisément les résonances d'un tel modèle pour une oreille moderne. Il suffit, à peine, de le modifier, à peine de l'interpréter, pour y voir une sorte de machine électronique, un ordinateur fonctionnant selon le principe de la numération binaire.

Neurone et quantité. L'articulation de ces deux termes amène à énoncer le principe régissant la circulation de la quantité le long des neurones : c'est là le principe « d'inertie neuronique », auquel nous avons déjà fait allusion plus haut en parlant d'une sorte de « pente » naturelle des neurones. « Les neurones tendent à se débarrasser de l'énergie » telle est la formulation première de ce principe. Cette tendance à une décharge *complète*, tendance à l'*inertie*, tendance au « *niveau zéro* » sera sans cesse affirmée dans la théorie freudienne ; d'abord, à ce stade initial, sous le nom de principe d'inertie neuronique ; puis bientôt sous le terme de principe de plaisir ; enfin comme principe de Nirvâna ou principe de la pulsion de mort. Nous n'insisterons pas, aujour-

____

(1) « La mémoire est représentée par les différences de frayages existant entre les neurones ψ. »
Ibidem., Trad. fr., p. 320. Éd. All., p. 384.

d'hui sur les entrecroisements, voire les quiproquos, qu'une telle évolution suscitera dans l'ensemble du système freudien de pensée.

Pris à ses origines, ce principe fondamental est formulé avec une rigueur absolue : il s'agit pour les neurones de se vider, l'énergie doit s'évacuer complètement d'un élément à l'autre, ainsi que l'illustre au mieux l'exemple du symbole et du refoulé qu'il symbolise (1). L'affect veut s'évacuer complètement, il tend à abandonner complètement les représentations dont il parcourt la chaîne : c'est là le fonctionnement ou processus primaire, mode de fonctionnement qui est défini comme celui de l'inconscient, celui auquel, spécifiquement, la psychanalyse a affaire, par exemple dans l'analyse des rêves.

A nouveau, faisons halte un instant pour nous demander dans quel ordre de réalité joue ce principe. Est-ce le principe d'un organisme vivant? Ne serait-ce pas un principe tout à fait différent, se situant malgré les apparences, à un autre niveau que celui de la biologie? Il est bien vrai que Freud nous présente l'axiome de l'inertie comme le principe de base de tout organisme. Et pourtant un organisme qui fonctionnerait d'abord selon ce premier principe serait tout simplement et strictement non viable. C'est là une affirmation que Freud lui-même n'aurait peut-être pas démentie, puisqu'il fait aussitôt appel, pour expliquer la survie, à une modification, — élaboration ou perfectionnement — de la fonction primaire en une « fonction secondaire imposée par les exigences de la vie ». Mais la contradiction vient du fait que le ressort de cette modification adaptative est cherché dans le principe primaire lui-même, alors que celui-ci, en son essence, tend au nivellement de toute différence vitale.

----

(1) Cf. plus haut, pp. 63-67.

Nous affirmons donc que ce principe d'inertie neuronique qui va devenir, dans la suite de la pensée freudienne, le principe de plaisir, n'est pas un principe de vie et qu'il n'a même rien à voir avec le fonctionnement vital. Et ceci malgré l'introduction du terme de « plaisir » qui évidemment évoque une signification adaptative, définie dans un contexte de références psycho-physiologiques qu'il conviendrait ici de désintriquer. *Ce modèle d'une évacuation complète de l'énergie psychique, c'est au niveau des représentations seulement, et non pas dans le fonctionnement d'un organisme vivant, qu'il est découvert.* Il est élaboré pour rendre compte du rêve et de la psychopathologie. Nous reviendrons encore sur le paradoxe qu'il y a chez Freud à le postuler, néanmoins — fût-ce abstraitement, fût-ce comme un premier temps logique — au niveau de la vie. C'est là un modèle de *mort* et non pas de vie. Or c'est aussi le modèle du fonctionnement inconscient...

Dessinons maintenant la structure d'ensemble, les principaux traits de l'appareil psychique tel qu'il est décrit dans le fameux « Projet de psychologie scientifique ». Cet appareil est divisé en un certain nombre de systèmes, désignés par les lettres grecques : ψ, φ, ω. Le centre de l'appareil est constitué par le système ψ, régi par le processus primaire, et qui pour l'essentiel correspond à l' « *inconscient* ». Ce système inconscient, où s'enregistrent, sous forme de constellations de frayages, les « traces mnésiques », se trouve d'un côté relié à la perception externe par l'intermédiaire de voies qui sont nommées voies φ. La limite externe de l'organisme est représentée sur notre schéma par un double trait : c'est la barrière cutanée mais aussi les dispositifs protecteurs qui, au niveau de l'ensemble des organes sensoriels, filtrent et amenuisent l'excitation. D'un autre côté le système ψ se trouve relié à la conscience, désignée comme système ω. *Ce système ω, nous insisterons d'emblée et constamment sur le fait qu'il n'a rien à voir avec le moi.* Enfin le système ψ (selon des modalités beaucoup plus complexes que le schéma dessiné ici) se trouve connecté d'un troisième côté, par toute une série de dispositifs comportant des seuils successifs de déclenchement, avec les excitations provenant de l'intérieur du corps : c'est par là que lui arrive l'énergie pulsionnelle qu'il a pour fonction de décharger.

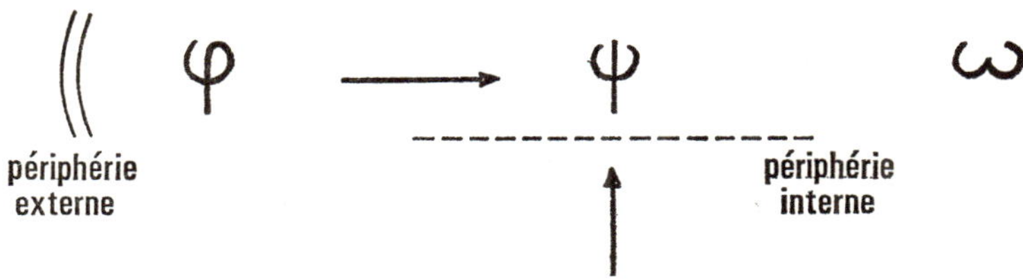

Le système ψ, ensemble des systèmes mnésiques et plus spécialement des systèmes inconscients, est donc situé au carrefour de trois voies : celle qui le relie à φ et aux excitations externes, celle qui lui apporte certaines informations de la conscience ; enfin, par l'intermédiaire d'une sorte de *périphérie interne* que nous avons figurée en pointillé, les voies qui apportent les excitations physiologiques internes.

Si nous avons voulu dessiner le schéma de cet appareil, ce n'est certainement pas pour l'avaliser tel quel et prétendre l'utiliser en psychanalyse. C'est uniquement pour tenter d'y situer une problématique qui a les rapports les plus étroits avec la fonction du moi : la problématique de la réalité et de sa reproduction dans « l'expérience de satisfaction ». La réalité externe n'est pas autre chose, dans ce schéma, que l'ensemble des excitations véhiculées par les appareils perceptifs. Ce que nous indique ce schéma, dans sa simplicité, c'est qu'il y a un branchement direct de l'appareil sur la réalité externe. Aux origines de la pensée freudienne on ne trouve en aucune façon une problématique qui voudrait faire de l'accès à la réalité un processus toujours incertain, hypothétique et tâtonnant, à partir d'une sorte d'état monadique de l'appareil. Ω, le système conscience, — bien que situé tout à fait au bout, de l'autre côté de ψ — émet d'une façon qu'on pourrait dire automatique ce que Freud désigne du nom de « signe de réalité »; c'est là une espèce de « tilt » comparable à celui qui se produit, dans un appareil à billes, chaque fois qu'un certain « plot » se trouve touché. Quand le réel est perçu il se produit automatiquement et répétitivement une décharge, une série de décharges qui informent le système ψ de la « valeur réalité » des excitations auxquelles il est soumis. Il faut concevoir que l'appareil central, lorsqu'il est en contact avec l'excitation externe, reçoit en même temps deux sortes de messages : l'un (a) qui lui vient directement de la périphérie, l'autre (b) qui lui est répercuté par ω, message sur le message qui affecte le premier de l'indice « réalité ».

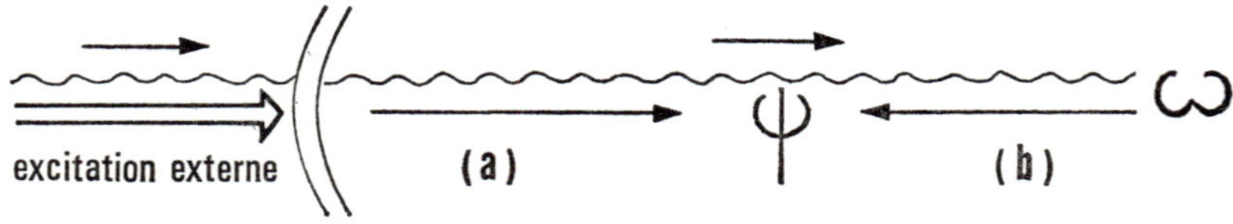

Ainsi nous sommes en présence, chez Freud, d'un *réalisme foncier* ; réalisme naïf ? réalisme susceptible d'une interprétation « phénoménologique » ? Quelle que soit notre appréciation, ce qu'il importe d'affirmer c'est que l'individu psychique et biologique perçoit directement la réalité, qu'il a un signe pour la reconnaître, et qu'il n'a pas besoin d'un « moi » pour cela.

C'est seulement une fois ce modèle fermement établi, et branché sur la réalité, que le moi va être « introduit », en un chapitre spécial (1). En effet la fonction du moi ne s'avère

---

(1) *Ibid.*, chapitre *Introduction du moi*, Éd. all., p. 406-408. Trad. fr., p. 340-342.

pas nécessaire pour accéder à la réalité dans le monde extérieur mais pour discriminer ce qui est réalité de *ce qui veut se donner comme réalité venant de l'intérieur*. En d'autres termes le problème est celui de l'*excitation interne* et de son retentissement dans les systèmes mnésiques, dans les systèmes des « représentations » déjà inscrites en ψ. Toute excitation interne, toute montée physiologique du niveau du besoin se traduit en effet par une reviviscence, dans les systèmes du souvenir, des traces des expériences passées. C'est là le processus désigné dans l'*Entwurf*, puis tout au long de l'œuvre de Freud, du terme d'*expérience de satisfaction*.

L'expérience de satisfaction est incompréhensible si on ne la rattache pas au fait biologique de la prématuration. C'est en effet en raison de ce que Freud nomme « *Hilflosigkeit* » — c'est à dire sa détresse, son impuissance originaire à s'aider lui-même — que le petit d'homme ne peut faire fonctionner les mécanismes nécessaires à la satisfaction de ses besoins, mécanismes réunis sous le chef de l' « action spécifique » et qui ne sont pas autre chose que des montages instinctuels. Les montages instinctuels sont insuffisants et, en tout cas, ils apparaissent trop tard, avec un décalage : ils ne sont pas là au moment où on les attendrait, c'est-à-dire dès la naissance. Dès la naissance, et tant que subsiste ce décalage, on assiste donc à une sorte de *disqualification de l'instinct* : la satisfaction des besoins ne peut passer par des montages préétablis, qui ne s'instaureront, eux, que progressivement et selon le rythme de la maturation du système nerveux central, mais la satisfaction doit d'emblée passer par l'intersubjectivité, c'est à dire par l'autre humain, la mère. On perçoit l'analogie de ce schéma avec ce que nous avons décrit à propos de l' « étayage ». Les signes accompagnateurs de la satisfaction (le sein qui accompagne l'apport du lait nourricier) vont prendre désormais valeur de montage, et c'est ce montage, *fantasme* encore réduit à des éléments peu élaborés, qui va se trouver répété lors d'une apparition ultérieure du besoin. Freud évidemment exprime tout cela en termes de *frayages* neuroniques puisque la reproduction des expériences passées n'est pas une résurgence d'éléments qualitatifs, mais se réduit au fait que l'énergie va se trouver passer à nouveau par certaines voies du système.

Le problème qui se pose alors est le suivant : lors de l'apparition d'une excitation interne, le montage fantasmatique — cet ensemble de quelques éléments représentatifs liés en une courte scène, en une scène extrêmement rudimentaire, faite éventuellement d'objets partiels et non pas d'objets totaux, disons un sein, une bouche, un mouvement d'une bouche qui saisit un sein par exemple — va se trouver revivifié, et cette reviviscence, mettant en branle la conscience (système ω), est d'emblée revécue comme réelle. Certes on peut se demander à quoi correspond effectivement cette notion de *satisfaction hallucinatoire du désir* : s'agit-il d'une réalité véritablement vécue par le petit enfant, ou simplement d'un modèle partiel, correspondant certes à une nécessité structurale, mais qui d'emblée, dans la réalité, se heurterait à un élément inhibiteur qui l'empêcherait de fonctionner à plein ? Il est certain que pour Freud cette hallucination primaire, reviviscence de quelque trace fantasmatique lors de l'apparition d'un nouveau besoin, doit se produire réellement dans les premiers jours de l'existence : « Il n'y a pas de doute que cette reviviscence de désir produise tout d'abord la même chose que la perception, c'est à dire une *hallucination* (1). » Ce qui vient l'attester, c'est évidemment l'existence du rêve, modèle du processus primaire, où la reviviscence de représentations s'accompagne d'un plein sentiment de réalité.

C'est précisément pour faire face à ce problème du sentiment hallucinatoire de réalité qu'est construit le schéma : φ, ψ, ω. Et c'est en ω, dans le système « conscience », que l'im-

____

(1) *Ibidem.* Éd. all, p. 404. Trad. fr., p. 338.

pact du processus de réinvestissement du fantasme déclenche, à nouveau, le message ou « signe de réalité ». Il y a là, au delà d'un mécanisme simplificateur, une conception tout à fait originale de la « conscience de réalité » : l'impression de réalité n'est pas atteinte par approximations, la réalité n'est pas apprise ou vérifiée par essais ou erreurs, mais elle est ce qui se donne ou ne se donne pas, par tout ou rien, selon que l'indice qui l'affecte (et qui est lui-même une décharge) est présent ou absent. Et si l'élément de réalité dans la perception externe n'est pas le fruit de l'apprentissage, l'hallucination, pas davantage, n'est susceptible d'être corrigée par un quelconque redressement, par un processus d'expérience ou de mise à l'épreuve. *L'hallucination est ou n'est pas*, et, quand elle est, il est absolument inefficace d'imaginer un protocole permettant de montrer à l'halluciné qu'il se trompe. Sur ce point, chez Freud, nous rencontrons la fermeté de la constatation clinique, récusant une fois pour toutes une conception de la fameuse *Realitätsprüfung* comme épreuve *de la* réalité, comme si on pouvait, pour l'halluciné, aller chercher une autre réalité susceptible de le détromper.

C'est bien ici que le moi est introduit, et son rôle dans le problème de la réalité ne va pas tenir au fait qu'il serait, lui, comme branché sur le réel par une sorte de « ligne directe ». Ce qui définit d'un point de vue métapsychologique le problème de l'hallucination, c'est le fait qu'il y a déjà *trop* de réalité dans le système et non pas qu'il faille *encore* appeler à l'aide une autre réalité : trop de réalité puisqu'il y a à la fois la réalité perceptive, celle qui vient de la barrière externe, et la réalité hallucinatoire provenant d'un déclenchement interne du « signe de réalité », cette sorte de clignotement du système « conscience ». Aller chercher un autre signe de réalité, qui viendrait encore départager la « vraie » réalité et ce qui se donne à tort pour son signe — et ceci à l'infini — ne serait que renouveler des apories bien connues de la pensée philosophique. Le moi, par conséquent, s'il est instrument de réalité, n'*apporte* pas un accès privilégié au réel, mais, par sa simple présence, il va permettre à la réalité externe de jouer seule, tandis qu'il va mettre hors de jeu la pseudo-réalité d'origine interne. C'est dire que sa fonction est essentiellement inhibitrice : empêcher l'hallucination, retrancher ce « trop de réalité » provenant de l'excitation interne pour permettre au signe de réalité venu de la perception externe (et qui a toujours existé sans qu'il soit besoin du moi) de jouer désormais seul, sans la concurrence de la reviviscence hallucinatoire en fonctionnant désormais comme *critère* valable.

Qu'est-ce donc que le moi, chargé de cette fonction d'inhibition ? Le moi est une partie de ψ et, comme ψ est lui-même formé de systèmes mnésiques, nous devons en conclure que le moi est fondé par des processus qui ont quelque chose à faire avec la mémoire : il a donc une origine historique. Cependant cette partie de ψ semble organisée différemment des autres systèmes mnésiques. Ce qui prédomine dans le moi, ce n'est pas tant le fait qu'il est formé, comme tout ensemble de neurones, par des embranchements successifs, mais qu'il constitue une organisation, notion évoquée par le terme de « *Gefüge* » : « ensemble organisé », ou encore par celui de « *Zusammengesetztes Ich* » soit un moi composé, à la fois formé de *partes extra partes* et pourtant unitaire. Sa définition la plus explicite nous le donne pour « *un réseau de neurones investis et bien frayés les uns par rapport aux autres* » (*Ein Netz besetzter, gegeneinander gut gebahnter Neuronen*). La notion de *réseau*, tout d'abord, présente quelque chose de plus statique, de plus fermé, que l'image des systèmes mnésiques dont les bifurcations avaient pour fonction l'évacuation de l'énergie et non pas sa rétention. Nous sommes là en présence de ce qu'on pourrait désigner, anachroniquement, comme une sorte de *Gestalt*, de forme, pour laquelle la notion d'investissement énergétique est capitale. D'où l'expression de « *bien frayés les uns par rapport aux autres* » qui indique qu'à l'intérieur du système du moi les communications sont bonnes, tandis que par contre, à sa périphérie, il existe des barrières restreignant les échanges ; ainsi le moi apparaît comme une sorte de réservoir à l'intérieur duquel joue le principe des vases communicants permettant à l'énergie de se répartir à un niveau égal, tandis que, par rapport à l'extérieur, une différence de niveau est maintenue. Ce n'est certainement pas un hasard si la référence à la théorie et à la psychologie de la forme s'impose à propos du moi, avec ces notions de formes énergétiquement chargées, avec ces images et ces modèles renvoyant à des analogies hydrauliques ou électriques : réservoir, condensateur etc. En même temps, ce modèle d'une forme se découpant sur un fond évoque la relation d'un organisme à son milieu, organisme qui se *définit* par une limite circonscrivant une région dans laquelle circule une certaine énergie dont le niveau moyen reste constant, niveau énergétique plus élevé que celui du monde extérieur sur lequel il se découpe et contre lequel il se maintient.

Cette interprétation du moi comme Gestalt s'accorde bien avec le mécanisme qui nous est décrit comme *son action inhibitrice* : il s'agirait là d'une sorte d'induction dans le champ environnant, similaire à celle qu'exerce une masse électriquement ou magnétiquement chargée, l'effet d'induction étant fonction de la différence énergétique entre la charge de l'élément inducteur et celle de l'environnement. C'est là ce qui est décrit très exactement par Freud sous le terme d' « investissement latéral » (*Nebenbesetzung*). Il suffit, pour figurer cette action en un schéma que Freud lui-même dessine, d'imaginer d'une part une voie ou une série de voies neuroniques le long desquelles l'écoulement se produit librement selon le processus primaire, donc un écoulement qui est celui des systèmes inconscients. Et d'autre part, au voisinage de cette voie, un réseau circonscrit où stagne une certaine énergie. L'effet d'inhibition est précisément produit, dans le premier type de voie, par le voisinage de la *Gestalt* du moi, qui stabilise dans son champ le mouvement de l'énergie et tend même à l'intégrer à son propre système.

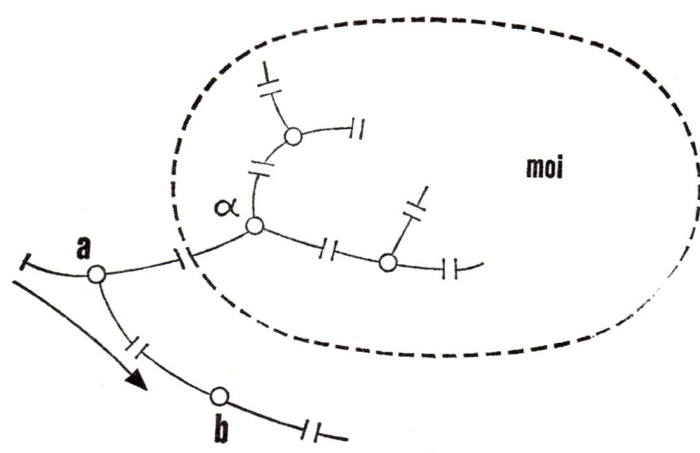

« Un *investissement latéral* est donc une *inhibition de l'écoulement de la quantité*. Si nous nous représentons le moi comme un réseau de neurones investis et bien frayés les uns par rapport aux autres, il en va peut-être ainsi : une quantité qui, venant de l'extérieur, pénètre dans un neurone *a* et qui passerait en *b* si aucune influence ne s'exerçait sur elle, subit en *a* l'investissement latéral α, de sorte qu'elle ne s'écoule qu'en partie en *b* ou même ne parvient pas à *b*. Si donc, il existe un moi, il doit *inhiber* les processus psychiques primaires (1). »

Si l'on ne perd pas de vue qu'il s'agit là de chaînes de représentations, le moi est bien ce qui introduit, dans la circulation du fantasme, un certain lest, un processus de *liaison* qui retient et fait stagner l'énergie dans le système

---

(1) *Ibidem*. Éd. all, pp. 407-408. Trad. fr., pp. 341-342.

fantasmatique, l'empêchant de circuler d'une façon absolument libre et folle. C'est l'apparition du *processus secondaire*, processus qui n'est que le résultat induit par l'existence d'une première masse elle-même *liée*, le moi, celui-ci étant, au sens propre, lié par une limite, une enveloppe :

« L'investissement de désir allant jusqu'à l'hallucination, le total développement de déplaisir, entraînant une dépense défensive totale, c'est là ce que nous désignons du terme de *processus psychique primaire* ; par contre nous nommons *processus psychique secondaire* les processus qui ne sont rendus possibles que par un bon investissement du moi et par la modération des précédents. » (1)

Entre le processus secondaire et le moi proprement dit il n'y a donc pas identité, ce qui amène à distinguer dans ce qui est du moi « une partie permanente et une partie changeante » (2). La partie fixe est encore dénommée « noyau du moi » ; à l'intérieur de ce noyau, on ne peut pas véritablement parler de processus secondaire : l'ensemble fonctionne comme un tout, l'énergie se répartissant de façon homogène à un moment donné. Le noyau du moi n'est qu'un grand réservoir agissant par sa charge énergétique. Au voisinage de cette forme, la partie mobile du moi est constituée par des processus sur lesquels s'exerce l'influence inhibitrice : ce sont les processus secondaires (le futur système « préconscient-conscient ») et, en particulier, « le processus de pensée [qui] consiste en l'investissement de neurones Ψ avec une modification, par l'investissement latéral provenant du moi, de la compulsion de frayage » (3). Si l'on inclut dans le moi son domaine d'influence mobile et fluctuant, on peut concevoir l'ensemble de cette « organi-

---

(1) *Ibid.*, édit. all, p. 411. Trad. fr., p. 344.
(2) *Ibid.*, édit. all, p. 407. Trad. fr., p. 341.
(3) *Ibid.*, édit. all, p. 418. Trad. fr., p. 351. Le terme de compulsion de frayage (*Bahnunhszwang*) désigne très exactement le processus primaire ou l'énergie libre, soit l'aspect compulsif du désir inconscient.

sation » comme susceptible d'élargir ou de resserrer ses frontières :

« Lorsque le niveau d'investissement dans le noyau du moi s'élève, l'extension du moi pourra étendre son cercle, lorsque l'investissement baisse, le moi se rétrécira concentriquement. Pour un niveau déterminé et pour une extension déterminée du moi, il n'y a rien à reprocher à l'idée d'une mobilité de déplacement à l'intérieur du domaine d'investissement. » (1)

Enfin, l'énergie dont est chargé le moi est d'origine endogène : c'est une partie de l'énergie pulsionnelle qui vient se stocker en un investissement constant :

« Nous appelons cette organisation le « moi » ; on peut s'en faire facilement une représentation figurée en considérant que la réception, régulièrement répétée, de quantités endogènes dans certains neurones (du noyau) et l'effet de frayage qui en résulte, vont produire un groupe de neurones investis de façon constante qui correspond donc à la réserve exigée par la fonction secondaire. » (2)

Investissement constant par l'énergie pulsionnelle ou libidinale, mobilité, à la périphérie d'un noyau fixe, des frontières ou des zones d'influence qui peuvent, selon les cas, connaître une expansion considérable ou une rétraction... Ces caractères préfigurent les descriptions du moi que Freud apportera vingt ans plus tard.

Mais, de plus, la distinction dans le moi d'une partie fixe et d'une partie mobile permet à Freud d'apporter une notation marginale précieuse, en ce qui concerne le rapport du moi à la perception et à l'objet : dans le processus désigné comme « connaissance et pensée reproductrice », la structure perceptive de l'objet est décomposée en une par-

---

(1) *Ibid.*, édit. all, p. 449. Trad. fr., pp. 380-381.
(2) *Ibid.*, édit. all, p. 407. Trad. fr., p. 341.

tie fixe — la « chose » — et une partie variable — le « prédicat ». Or Freud relève une analogie profonde entre cette structure du « complexe perceptif » et celle du moi :

« Le langage donnera plus tard le nom de *jugement* à cette division [du complexe perceptif], et découvrira la ressemblance qui existe effectivement entre le noyau du moi et l'élément constant de la perception d'une part, et entre les investissements changeants dans le pallium et l'élément inconstant [du complexe perceptif] d'autre part. » (1)

Or, cette décomposition de l'objet perceptif, jugement véritablement « primaire » en ce sens qu'il est pré-réflexif et pré-verbal, est valable tout d'abord pour la perception de l'autre humain, du « *Nebenmensch* », prototype de toute connaissance :

« C'est un objet *de ce type* qui est le premier objet de satisfaction, et ensuite le premier objet hostile, en même temps qu'il est la seule puissance secourable. C'est pourquoi l'homme apprend à connaître sur l'autre humain (2) ».

Ainsi le jugement primaire serait l'acte par lequel, sur le fondement « des expériences propres, des sensations et des images de mouvement », est posée une première permanence de l'objet, par la distinction entre son « noyau » et ses « prédicats ». Dire que ce jugement s'effectue selon le processus primaire, et qu'il se passe, pour ainsi dire, du moi (3), alors que précisément il vient *poser* dans la perception une structure analogue à celle du moi, n'est-ce pas dessiner la place d'expériences perceptives qui soient fondatrices, *dans un même mouvement*, de la forme du moi et de celle de « l'objet total » ?

---

(1) *Ibid.*, édit. all, p. 412-413. Trad. fr., p. 346.
(2) *Ibid.*, éd. all, p. 415. Trad. fr., p. 348.
(3) *Ibid.*, éd. all, p. 417. Trad. fr., p. 350.

IV

LE MOI ET LE NARCISSISME

Dans la problématique du moi, deux voies nous ont semblé relier le moi comme totalité individuelle vivante et le moi au sens où l'entend la psychanalyse. De ces deux voies, métonymique et métaphorique, c'est la seconde que nous suivons actuellement, parce qu'elle nous paraît être la plus féconde, et surtout parce qu'elle est la plus négligée dans tout un courant de la psychanalyse contemporaine.

Le « Projet de psychologie scientifique » de 1895 pose d'emblée le moi comme n'étant pas essentiellement un *sujet* : il n'est ni le sujet au sens de celui de la philosophie classique, un sujet de la perception et de la conscience (il n'est pas ω) ni non plus le sujet du désir, ce sujet qui s'adresse à nous, psychanalystes : il n'est pas l'ensemble de Ψ ni même l'essentiel en Ψ, mais une formation particulière à l'intérieur des systèmes mnésiques, un objet interne, investi par l'énergie de l'appareil. Cet *objet* cependant est susceptible d'action et il entre comme partie prenante dans le conflit par sa double fonction : fonction inhibitrice qui est fonction de liaison, celle sur laquelle nous nous sommes arrêté dans notre précédent développement, et fonction défensive que nous avons abordée, à propos de la théorie de l'hystérie, sous les deux modalités de la défense pathologique et de la défense normale. Aussitôt après avoir énoncé la thèse selon laquelle le moi n'est pas le sujet, il nous faut donc nous reprendre : le moi est bien un objet, mais une sorte d'objet-relai, susceptible de se donner, de façon plus ou moins usurpée et trompeuse pour nous, comme un sujet voulant et désirant.

Une vingtaine d'années après le « Projet », dix ans environ avant « Le moi et le ça », une phase capitale de la pensée freudienne concernant le moi se marque avec « Pour introduire le narcissisme » (1914). Il s'agit là d'un texte dont la situation historique et la signification dans ce que pourrait être une histoire structurale de la pensée freudienne, mérite analyse. Si l'on voulait comparer l'évolution de la pensée freudienne à l'image d'un mouvement ondulatoire stationnaire, comportant une succession de : « nœuds » et de « ventres », le « narcissisme » marquerait en toute évidence un nœud, et ceci à de multiples points de vue.

Conçu dans la hâte, la fièvre, et sans doute l'enthousiasme (1), de même que « Au-delà du principe de plaisir », il est, à la différence de cet autre essai inspiré, rapidement considéré comme imparfait sinon monstrueux (2), laissé de côté avant d'être partiellement méconnu. Par rapport à *l'ensemble de l'œuvre écrite*, sa situation est très complexe : il vient confirmer toute une série de notations cliniques déjà apportées depuis plusieurs années sur le thème du narcissisme dans ses relations à la perversion, à l'homosexualité et la psychose. Mais en même temps, rassemblant

---

(1) « Dix-sept jours délicieux » passés à Rome, en compagnie de Minna Bernays. Cf. Jones (E.), *La vie et l'œuvre de Sigmund Freud*, éd. fr., Paris, P. U. F., 1961, tome II, pp. 109 et 324.

(2) « J'ai bien difficilement accouché du narcissisme. Il porte les traces de la déformation qu'il a subie de ce fait. » Freud (S.). Lettre à Abraham du 18 mars 1914, in : *Sigmund Freud — Karl Abraham, Correspondance 1907-1926*, Paris, Gallimard, 1969, p. 171.

ces éléments de l'observation, il apporte une véritable
remise en question de la théorie dans son ensemble. D'autre
part, il est à situer par rapport au groupe d'articles produit
en 1915, et qui constitue le projet d'une sorte de monument
théorique, d'une « métapsychologie ». Jones, historien de
Freud, n'a pas tort de considérer que ces écrits métapsychologiques sont des textes de conclusion, présentant une sorte
de synthèse et ne laissant pas prévoir, par quelque déséquilibre majeur, le « tournant » théorique considérable qui va
s'opérer quelques années plus tard en 1920. Or, de ces écrits
métapsychologiques, un certain nombre traite par prétérition le narcissisme, d'autres échouent à l'intégrer... Ainsi
les textes de *conclusion* de toute une période viennent *après*
la remise en question et laissent celle-ci comme en sommeil,
en attente. Plus tard, il ne s'agira pas seulement d'un oubli
ou d'une méconnaissance partielle, mais d'une véritable
réinterprétation tendancieuse par Freud de ses propres
thèses, lorsqu'il réécrira, en abrégé, l'histoire de sa « Théorie
de la libido » (1).

Le « narcissisme » est encore un point de resserrement
du fait qu'en lui viennent s'entrecroiser des fils longtemps
séparés et relativement indépendants : celui de la « topique »,
et celui de la « théorie des pulsions ». D'où cette situation
de « point nodal », à l'entrecroisement de diverses lignes
de pensée ou d'association. Ainsi se dégage, pour le lecteur
qui, comme le fait Jones, voudrait un instant imaginer
que l'œuvre n'a pas été continuée au-delà par Freud lui-
même, une impression opposée à celle que produisent les
textes « métapsychologiques » de 1915 : le sentiment qu'à
partir de ce moment de regroupement un nouveau déve-

---

(1) FREUD (S.) 1923, *Libidotheorie* : chapitre sur le *rapprochement apparent des
vues de Jung*, G.W., XIII, pp. 231-2 : Freud présente là le moment du narcissisme
comme tentation par le monisme énergétique de Jung, donc comme un moment de fermeture.

loppement était possible, qui ne passait pas nécessairement par le détour et la cassure de « Au-delà du principe de plaisir ».

La thèse de Freud, si nous voulons la condenser et, en un sens, la radicaliser, tiendrait en trois propositions : le narcissisme est un investissement libidinal de soi, un *amour de soi*, — thèse qui apparemment n'a rien pour étonner ; — mais cet investissement libidinal de soi passe nécessairement chez l'homme par un *investissement libidinal du moi* ; et, troisième thèse, cet investissement libidinal du moi est inséparable de la *constitution* même du *moi* humain.

Le premier mouvement de Freud, consiste « à rassembler ce qui a été dit d'autre part », pour justifier une introduction du « narcissisme » comme notion psychanalytique et comme théorie généralisée, au-delà de son repérage clinique dans certains phénomènes particulièrement probants. L'*histoire* du narcissisme, elle, est à peine esquissée en deçà des apports psychanalytiques, et la référence au mythe antique est complètement omise, de même que l'apport plus récent et pourtant tout à fait explicite de Havelock Ellis. Sans vouloir reprendre cette histoire, qui est d'ailleurs assez bien retracée dans le tome XIII des « *Studies in the psychology of sex* » (1), relevons seulement que la notion d'amour de soi est, de longue date, délimitée avec précision. Ainsi, chez Ovide (2), ressortent déjà un certain nombre de caractères : situation du narcissisme en deçà de la position de la différence des sexes, et aussi en deçà du langage ; Écho, cette « personnification du reflet de soi acoustique » (Rank), est elle-même disqualifiée, comme apportant un premier élément de symbolisation ou de différence. D'autre part, « l'erreur de Narcisse » est présentée dans toute sa généralité comme erreur de l'amant quel qu'il soit, laissant prévoir

---

(1) Ellis (H.), trad. fr., Paris, Mercure de France, 1932.
(2) Ovide. Métamorphoses III, 339-510.

la découverte de l'élément narcissique en toute relation amoureuse (1). C'est d'ailleurs la même direction que nous indique l'utilisation faite par certains platoniciens du mythe de Narcisse comme symbolisant l'auto-suffisance de l'amour parfait : il y a là une conjonction qui se marquera jusque dans la reprise par Freud de l'Éros platonicien pour désigner la « pulsion de vie ».

Avec Havelock Ellis (2), dès 1898, plusieurs aspects essentiels du narcissisme sont déjà mentionnés, notamment le caractère totalitaire du narcissisme, le fait qu'il se situe au-delà de la jouissance sexuelle localisée, auto-érotique : le narcissisme se caractériserait par « la tendance... des émotions sexuelles, à être absorbées et parfois entièrement perdues dans l'admiration de soi-même ».

Cependant, à la différence des sexologues, lorsque Freud introduit son texte par une référence à la perversion, il n'a pas en vue une délimitation nosographique bien précise. Ce qui importe, dans cette première esquisse, dans ces cas rares, mêmes s'ils sont exemplaires, de « narcissisme-perversion », c'est la similitude affirmée du corps propre et du « corps d'un objet sexuel », traité comme un tout, cajolé, contemplé et caressé : contemplation, soins et caresses sont constitution et confirmation de la forme totale, de la limite, de l'enveloppe fermée que constitue le revêtement cutané.

En dehors de la « perversion narcissique », à supposer même qu'on puisse l'isoler comme entité clinique ce qui est bien douteux, le narcissisme est vite repéré par les sexologues et par les analystes comme élément constitutif des perversions et d'abord de la perversion homosexuelle. Cette réfé-

---

(1) *Ibid.*, 446-454.
(2) ...bien plus qu'avec P. Näcke auquel Freud se réfère, mais qui n'a guère fait que forger le substantif « narcissisme ». Ici se reflète la relation ambiguë de Freud à Havelock Ellis, si favorable que fût ce dernier à accueillir les apports cliniques du freudisme.

rence à l'homosexualité, où Freud voit « le plus puissant motif qui nous contraint à l'hypothèse du narcissisme » (1), s'éclairera mieux dans la suite du développement, lorsque sera introduite la distinction des deux types de « choix d'objet ».

Une autre découverte majeure se trouve rappelée et constamment réélaborée dans ces quelques pages : la référence essentielle apportée par le narcissisme pour la compréhension des psychoses. Un double aspect, désormais bien classique, est ici distingué : le retrait de la libido et, d'une façon générale, de « l'intérêt », du monde extérieur — ce détachement par rapport à l'objet externe, aspect « négatif » du processus, se traduisant souvent dans les débuts de l'évolution d'une psychose par une impression voire un délire de fin du monde — et, d'autre part, corrélativement à ce retrait, la nécessité pour cette libido de se fixer sur un autre type d'objets, les objets intériorisés. Or Freud, à la différence de Jung, différencie ici deux degrés dans ce repli de la libido : un repli sur la vie fantasmatique — ce que Jung dénomme « introversion » — et un repli sur cet objet privilégié qu'est le moi. Si l'introversion peut bien expliquer certains types ou certaines phases d'existence névrotique, elle est incapable en elle-même de rendre compte du renversement opéré par la psychose, de cette sorte de monde au-delà du miroir qu'elle crée : même s'il y a ensuite recréation d'un nouveau monde fantasmatique, c'est à partir d'un retrait radical que la nouvelle élaboration va s'opérer. C'est d'abord, en un premier temps, dans la sphère du moi et uniquement dans cette sphère que se produit la tentative de « liaison » de l'énergie libidinale libérée par la fin du monde, et ceci sous deux formes apparemment bien différentes : le délire des grandeurs et l'hypocondrie. Mais, que

---

(1) Freud (S.). Pour introduire le narcissisme, G.W., X, p. 154. Trad. fr., in : *la Vie sexuelle*, Paris, P. U. F., 1969, p. 93.

la limite du moi se trouve élargie jusqu'aux confins cosmiques ou au contraire rétrécie aux dimensions de l'organe souffrant, que la libido soit plus ou moins bien maîtrisée ou au contraire flottante, plaçant le sujet en imminence de débordement par l'angoisse, le combat psychotique, à ses débuts, se présente toujours comme une tentative désespérée pour cerner à nouveau un certain territoire. Une dernière référence, enfin, vient « patronner » cette introduction du narcissisme : l'évocation de la « psychologie de l'enfant et des peuples primitifs » : référence qui se donne pour clinique tout en poursuivant les développements de « Totem et Tabou » :

« Nous trouvons chez les enfants et les peuples primitifs des traits que l'on pourrait attribuer, s'ils étaient isolés, au délire des grandeurs : surestimation de la puissance de leurs désirs et de leurs actes psychiques, « toute puissance de la pensée », croyance à la force magique des mots, et une technique envers le monde extérieur, la « magie », qui apparaît comme l'application conséquente de ces présuppositions mégalomaniaques (1). »

... Mais ici, sous les apparences de l'histoire de l'espèce et de l'individu, c'est en fait la dimension du mythe et de l' « originaire » qui s'introduit, originaire qui aussitôt, pour trouver figuration, se transpose en des termes empruntés à la biologie : « Nous nous formons ainsi la représentation d'un investissement libidinal orginaire du moi ; plus tard, une partie en est cédée aux objets, mais, fondamentalement, l'investissement du moi persiste et se comporte envers les investissements d'objet comme le corps d'un animalcule protoplasmique envers les pseudopodes qu'il a émis (2). » Et il s'agit là d'une biologie qui se veut quantitative, accessible à des bilans énergétiques, à des mesures de différences de potentiel, si bien qu'à d'autres moments c'est un modèle

---

(1) G.W., X, p. 140. Fr., p. 83.
(2) *Ibid.*, G.W., X, p. 141. Fr., p. 83.

emprunté à l'économie bancaire qui, comme naturellement, pourra s'y mêler : l'animalcule protoplasmique est alors fonds monétaire, banque centrale émettant ou retirant ses « investissements ».

Narcissisme originaire, narcissisme primaire, c'est là une des notions les plus trompeuses, une de celles qui, dans son apparente évidence, exige le plus impérativement une *interprétation*. Pour simplifier, disons d'abord qu'il existe dans la pensée freudienne deux courants manifestes concernant cette notion. Or le courant représenté par « Pour introduire le narcissisme », s'il est pratiquement repérable tout au long de l'œuvre, n'est que passagèrement dominant. C'est une autre ligne de pensée, présente elle-aussi d'emblée, avant l'introduction même du terme de narcissisme, explicitée notamment dans un texte de 1911, « Formulations sur les deux principes du fonctionnement psychique » qui va devenir toujours plus prévalente. Exprimée dans son *contenu manifeste*, cette thèse veut reconstruire l'évolution du psychisme humain à partir d'une sorte d'*état premier hypothétique, où l'organisme formerait une unité fermée* par rapport à l'entourage. Cet état ne se définirait pas par un investissement du moi puisqu'il serait antérieur à la différenciation même d'un moi mais par une sorte de stagnation sur place de l'énergie libidinale dans une unité biologique conçue comme « anobjectale ». Référence est faite là soit au prototype de la vie intra-utérine, soit à l'état du nourrisson. Freud, dans cette reconstruction, persiste à vouloir produire, en termes génétiques, l'apparition de certaines fonctions du réel, perception tout d'abord, jugement, communication, etc., à partir de cette monade biologique. Cela non sans des hésitations et des repentirs qui se font jour même dans un texte aussi ouvertement *psychologisant* que les « Formulations » de 1911. Là nous est d'abord présentée cette image d'un état premier, fermé sur lui-même, prototype de l'état de sommeil et de rêve. Les besoins internes qui amènent une augmentation du niveau énergétique dans le système et mettraient en question son équilibre trouvent directement leur issue dans la « satisfaction hallucinatoire ». Ce n'est que « l'absence persistante de la satisfaction » qui pousserait, on ne sait comment, la monade à abandonner une position si commode et apparemment inexpugnable. Aussitôt, cependant, dans une note de ce même texte, Freud se demande comment une telle organisation pourrait « se maintenir en vie même pour un instant », concède qu'il s'agit là d'une « fiction ɔ et renvoie à un modèle approché de cet état, constitué par « le nourrisson si l'on veut bien lui ajouter les soins maternels... » (1) Mais ici, semble-t-il, c'est plutôt l'imperfection du système, le hiatus, si léger soit-il, qui s'introduit entre les besoins et l'apport maternel, qui provoquerait l'hallucination. Dans cette réflexion, il n'est certes pas question pour Freud de présenter une description concrète de l'état pré- ou néo-natal, de même qu'il n'est pas question pour nous de nier ou d'affirmer l'existence effective d'états biologiques monadiques (l'embryon d'oiseau dans son œuf, pourvu que celui-ci reçoive l'apport de chaleur), d'états diadiques fonctionnant comme une quasi-monade (la mère et son fœtus) ou d'états diadiques beaucoup plus imparfaits : la mère et le nourrisson. La question est de savoir si l'on peut affirmer l'existence d'une *genèse réelle* de la relation objectale par la seule pression interne du besoin et par la seule voie de l' « hallucination primitive ». Quel que soit en effet le système considéré (et n'oublions pas que c'est Freud qui introduit cette problématique dans toute son abstraction), la notion même d'une « hallucination primitive » soulève l'énigme de l'assemblage et même de la compatibilité des deux termes qui la définissent. Car, de toute façon, hallucination suppose un contenu représentatif

---

(1) FREUD (S.), *Formulations sur les deux principes du fonctionnement psychique*, G.W., VIII, pp. 231-232 et note p. 232.

minimal et par conséquent *un premier* clivage, fût-il encore imparfait : clivage non pas tant entre le moi et l'objet, ou entre les excitations internes et les excitations externes, mais entre la satisfaction immédiate et les signes qui accompagnent toute satisfaction différée, imparfaite, contingente, médiatisée : celle qui est apportée par « l'autre humain ».

C'est la place de l'hallucination par rapport à la satisfaction qui permet le mieux de désintriquer la question : l'hallucination naît-elle de l'insatisfaction ou cesse-t-elle par celle-ci ? La réponse de Freud est ambiguë : tantôt c'est l'énergie pulsionnelle accumulée de par la non-satisfaction du besoin qui nourrit la production hallucinatoire, tantôt, au contraire, c'est cette accumulation qui force la monade à sortir de son rêve. La réponse la plus articulée serait sans doute qu'une certaine insatisfaction trouve son débouché dans l'hallucination, mais qu'au-delà d'un certain seuil énergétique, la « voie hallucinatoire est abandonnée ». Cependant, la question est précisément de savoir quel sens donner à cette notion de satisfaction hallucinatoire ; nous en voyons au moins deux : *l'hallucination de la satisfaction* c'est-à-dire la reproduction du pur ressenti de la décharge, en l'absence même de celle-ci, ou bien la *satisfaction par l'hallucination*, c'est-à-dire *par le fait même* du phénomène hallucinatoire. Mais *l'hallucination de la satisfaction*, à supposer qu'on puisse concevoir un tel phénomène, ne peut comporter en son sein aucune contradiction qui permette d'en sortir, si bien que joue à plein l'objection que Freud soulève lui-même : un tel organisme serait voué d'emblée, et sans aucune échappatoire possible, à la destruction. La *satisfaction par l'hallucination*, au contraire, est tout à fait concevable, sur le modèle même du rêve : celui-ci en effet n'*apporte* pas une satisfaction du désir, il *est* accomplissement de désir par son existence même. Mais la référence du rêve, ainsi que le terme même de désir, suppose que le corrélat objectif du besoin (la nourriture) a déjà été métabolisé en « objet », en un signe capable d'être introjecté à sa place. Dès lors les éléments en jeu dans l'hallucination se présentent dans une toute autre complexité et dans une toute autre dialectique que celle que devrait permettre la soi-disant monade narcissique.

Toutes ces objections, soulignons-le, ne tendent pas à nier l'existence possible de systèmes biologiquement clos, mais peuvent seulement souligner la contradiction qu'il y a à tenter d'en conceptualiser le « pour soi » et, plus encore, de vouloir retracer la genèse de ce « pour soi ». Le narcissisme primaire, comme réalité psychique, ne peut être que le mythe primaire du retour au sein maternel, scénario que Freud, parfois, range explicitement parmi les grands fantasmes originaires.

Nous avons voulu résumer là rapidement cette version du narcissisme primaire qui deviendra prédominante sinon exclusive à partir de 1920 ; version qui fait partie du grand mythe biologique de Freud et qui, comme telle, doit être utilisée à fond une fois réinterprétée. Néanmoins, avec les travaux qui préparent pendant quelques années l'introduction du narcissisme, puis avec cette « Introduction » elle-même, la signification donnée au narcissisme primaire échappe partiellement aux contradictions de la thèse précédente. Ce qui est proposé, sous ce terme, ce n'est pas en effet l'investissement originaire de l'individu biologique, mais celui d'une formation psychique, le moi ; d'où cette conclusion, contraignante en sa simplicité : si le moi n'est pas là d'emblée, le narcissisme, quelle que soit sa qualification de « primaire », ne l'est pas davantage. Restant évidemment à saisir par quelle nécessité le narcissisme aussi bien que le moi doivent se donner à nous, mythiquement, comme « originaires ».

La notion d'auto-érotisme, dans les années 1910-1915, était encore assez fraîchement découverte, non encore refoulée, pour permettre de situer correctement le narcissisme dans l'évolution de la sexualité. L'auto-érotisme, on s'en souvient, était, dès 1905, posé non pas comme état anobjectal primaire de l'être humain, mais comme résultant d'un double mouvement conjoint : *détournement* d'activités fonctionnelles qui, d'emblée, étaient orientées vers une certaine objectalité, une « valeur-objet », et *retournement* de l'activité sur soi, selon la ligne du fantasme. Cette position semblant fermement acquise, la question se pose légitimement dès les premiers énoncés concernant le narcissisme : « quelle est la relation du narcissisme, dont nous traitons ici, avec l'auto-érotisme que nous avons décrit comme un état de la libido à son début ? » (1) Et la réponse s'énonce en deux courtes phrases qui recèlent probablement la vision la plus aiguë et la plus condensée de Freud sur cette question : « ...Il est nécessaire d'admettre qu'il n'existe pas dès le début *dans l'individu* une *unité* comparable au moi ; le moi doit subir un *développement*. Mais les *pulsions auto-érotiques* existent dès l'origine ; quelque chose, une *nouvelle action psychique* doit donc venir s'ajouter à l'auto-érotisme pour donner forme au narcissisme. » (2)

Ainsi, ce qui est désigné comme *originaire* dans la sexualité, ce sont les pulsions auto-érotiques, pulsions entre lesquelles il n'existe pas d'unité, et nous avons vu comment elles fonctionnaient *sur place*, à partir de tel ou tel appareil, de telle ou telle zone érogène. Le moi, au contraire, est une unité *dans l'individu* ; il est bien posé dans ce texte, avant la « deuxième topique », comme instance. Deux termes un peu divergents, mais peut-être aussi complémentaires viennent caractériser son mode d'apparition : « développement », — qui peut faire penser à une croissance progressive — et « nouvelle action psychique » — qui évoque un moment d'instauration, une *mutation* qui vient précipiter

---

(1) Freud (S.), *Pour introduire le narcissisme*, G.W., X, p. 141, Fr., p. 84.
(2) *Ibid.*, G.W., X, p. 142. Fr., p. 84. les mots soulignés le sont par nous.

l'auto-érotisme dans la forme narcissique. Ainsi le narcissisme se situe, chronologiquement ou dialectiquement, après l'auto-érotisme, mais rappelons-nous que celui-ci, dans les « Trois essais sur la sexualité », n'était pas lui-même « premier » : s'il était bien l'état premier *de la sexualité,* cela ne signifiait pas qu'il fût nécessairement l'état *biologique* premier. L'auto-érotisme était décrit comme moment de surgissement de la sexualité humaine comme telle, constitutif, en ce sens, du champ qu'explore la psychanalyse. C'est dire que, à son tour, le narcissisme qui vient unifier le fonctionnement auto-érotique et lui « donner forme », apparaît, tout « primaire » qu'il soit, comme préparé par un processus déjà complexe.

Au même titre qu'un objet extérieur, le moi est objet d'amour, il est chargé de libido, « investi ». Quel intérêt y a-t-il, pour la théorie, à transposer en termes « économiques » la description des sentiments et des passions ? C'est que le modèle économique, quantitatif même s'il n'apporte pas les moyens d'une mesure effective, permet de mieux cerner certains faits constatés en clinique : équivalences, échanges, antagonismes, etc. Ainsi, dans la théorie du narcissisme, il permet de décrire, entre le moi et les objets extérieurs, ou même entre lui et les objets fantasmatiques intériorisés, une véritable balance énergétique au sens où l'on peut parler d'une balance de comptes : quand l'un s'enrichit, l'autre doit nécessairement s'appauvrir, l'individu ne disposant que d'une *quantité libidinale relativement constante.* Le capital libidinal n'est pas inépuisable, chacun le place au mieux, mais ne peut investir au-delà de ses réserves. Mais d'autre part, malgré la similitude entre l'investissement sur les objets extérieurs et l'investissement sur le moi, il n'existe pas entre eux une symétrie complète : la balance n'est pas totalement réversible, le moi doit toujours retenir une certaine énergie, et même « dans l'état de passion amoureuse qui apparaît comme un désaisissement de la personnalité propre au profit de l'investissement d'objet » (1), le moi reste le lieu d'une stase permanente d'énergie, maintenant toujours en lui un certain niveau minimal. C'est ce que laisse entendre la comparaison avec l'animalcule protoplasmique, qui envoie certes des pseudopodes mais à partir d'une masse centrale qui reste présente, même si elle doit s'étirer au maximum.

Une autre image sera employée bientôt dans la théorie économique du moi, celle du « réservoir » : « Le moi est un grand réservoir de libido, d'où la libido est envoyée vers les objets et qui est toujours prêt à absorber de la libido qui reflue à partir des objets. » (2) Cette image sera d'ailleurs soumise à des vicissitudes diverses puisqu'elle sera appliquée d'abord au moi, puis au ça, puis à nouveau au moi (3). De telles variations ou variantes méritent mieux qu'un choix au profit de telle ou telle d'entre elles : elles nécessitent une interprétation, et celle-ci implique à son tour que, comme pour un rêve, tous les éléments soient juxtaposés, que rien ne soit éliminé, que le « ou bien » soit retraduit en un « et ». Ici en effet, c'est la position *réellement* ambiguë du moi qui est en question dans ces hésitations de Freud : le moi, tout en étant réservoir de la libido qui l'investit peut, en un sens, apparaître comme *source* ; il n'est pas le sujet du désir ni même le lieu d'origine de la pulsion (lieu d'origine figuré par le ça), mais il peut *se donner pour tel*. Objet d'amour, le moi « émet » de la libido, il vicarie l'amour en se posant comme sujet aimant. C'était bien là, déjà, la thèse implicite du « Projet de psychologie scientifique », mais elle se trouve cette fois consolidée par la clinique, concrétisée par une analyse approfondie des modes de « choix » de l'objet d'a-

---

(1) *Ibid.*, G.W., X, p. 141. Fr., p. 84.
(2) Freud (S.) 1923. *Libidotheorie*, G.W., XIII, p. 231.
(3) Une note fort complète des éditeurs de la Standard Edition résume ces fluctuations, S.E., XIX, pp 63-66.

mour, ouverte enfin sur la voie qui mène à une théorie de l'identification.

La *théorie du choix d'objet* est sans doute un des apports les plus féconds de cette introduction du narcissisme. Il s'agit là de décrire les voies ou, si l'on veut, les frayages, le long desquels le sujet humain en arrive à se fixer à tel ou tel type de partenaire, voire à telle ou telle personne particulière. Ces voies se ramènent schématiquement à deux : le type de choix d'objet *par étayage* et le type de choix d'objet *narcissique*. Le « choix d'objet par étayage », longtemps désigné, en un néologisme peu parlant, par l'expression « choix d'objet anaclitique » (1), était découvert depuis longtemps, et décrit au moins depuis les « Trois essais ». La découverte du « choix » d'objet narcissique vient seulement remettre en perspective, relativiser, le premier type. En effet, la notion de choix d'objet par étayage ne faisait que prolonger la théorie fondamentale de l'étayage comme temps sans cesse renouvelé de l'émergence de la sexualité. Dans ce choix, l'autoconservation, la fonction vitale, loin d'être en conflit avec la sexualité, montre à celle-ci la voie de l'objet : « ...En étudiant le choix d'objet des enfants (et des adolescents), nous avons tout d'abord remarqué qu'ils tirent leurs objets sexuels de leurs premières expériences de satisfaction. » (2) Avec le choix d'objet, cependant, c'est un type de répétition plus éloigné des premières expériences, qui est décrit : « Les pulsions sexuelles s'étayent d'abord sur la satisfaction des pulsions du moi, dont elles ne se rendent indépendantes que plus tard ; mais cet étayage continue à se révéler par le fait que les

---

(1) Cf, sur ce point : Laplanche (J.) et Pontalis (J. B.), *Vocabulaire de la psychanalyse,* article : anaclitique, Paris, P. U. F., 1967.

(2) Freud (S.), *Pour introduire le narcissisme,* G.W., X, p. 153. Fr., p. 93. Ce renvoi explicite à la vieille notion d'expérience de satisfaction du « Projet » et de « L'interprétation des rêves », vient bien confirmer que cette notion et celle de l'étayage des pulsions sexuelles sur les pulsions d'auto-conservation jouent exactement dans le même domaine.

personnes qui ont affaire avec l'alimentation, les soins, la protection de l'enfant, deviennent les premiers objets sexuels ; c'est en premier lieu la mère ou son substitut (1). »

Le choix d'objet narcissique se différencie nettement du choix d'objet par étayage, en ce que l'objet est maintenant choisi sur le modèle de soi, c'est-à-dire sur le *modèle du moi*, et en ce que l'énergie libidinale se trouve véritablement *transportée* plutôt que déplacée insensiblement. On peut, si l'on veut, les opposer grossièrement comme l'amour du complémentaire, de celui qui peut assurer la vie, et l'amour du même ou du semblable ; une similitude néanmoins qui comporte divers aspects, de sorte que le jeu de miroirs se complique. Toute une gamme de choix narcissiques possibles nous est présentée par Freud : non seulement à l'image de celui qu'on est actuellement, mais aussi à celle de « ce qu'on a été soi-même — ce que l'on voudrait être soi-même — la personne qui a été une partie du propre soi » (2). Le choix de « ce qu'on a été » est un des plus révélateurs, puisque c'est lui qui, découvert au ressort de l'homosexualité, a permis d'affirmer le narcissisme non seulement comme position « intrasubjective », — amour de soi — mais comme mode de relation à l'objet — amour de quelqu'un qui soit semblable à une certaine image de soi :

« Nous avons trouvé avec une particulière évidence chez des personnes dont le développement libidinal est perturbé comme les pervers et les homosexuels, qu'ils ne choisissent pas leur objet d'amour ultérieur sur le modèle de la mère, mais bien sur celui de leur personne propre. De toute évidence, ils se cherchent eux-mêmes comme objet d'amour, en présentant le type de choix d'objet qu'on peut nommer *narcissique*. C'est dans cette observation qu'il faut trouver

---

(1) *Ibid.*, G.W., X, pp. 143-154. Trad. Fr., p. 93.
(2) *Ibid.*, G.W., X, p. 156. Trad. Fr., p. 95.

le plus puissant motif qui nous contraint à l'hypothèse du narcissisme (1). »

Nous avons parlé d'un jeu de miroirs où s'opère un double déplacement : l'homosexuel se situe à la place de la mère, et son « objet » à la place de l'enfant que lui-même a été. Si l'on ajoute qu'il n'y a pas là des positions stables, mais au contraire un mouvement de bascule qui, au moindre léger ébranlement du miroir, fait s'échanger les positions, on touche du doigt le fait que les modèles applicables au narcissisme, avec la complexité des échanges qu'ils doivent permettre, n'ont rien à emprunter à la forme close et auto-suffisante de « l'œuf ».

Avant de développer certaines incidences de la théorie du choix d'objet, proposons rapidement certains points d'appui pour la compréhension de la pensée freudienne à ce moment précis : une distinction, notamment, est indispensable à introduire, faute de laquelle le texte sur « le narcissisme » reste voué à la confusion la plus totale : il s'agit de deux termes qui peuvent apparaître comme synonymes à une lecture superficielle mais sont en réalité empruntés à deux registres bien différents : les *pulsions du moi* et la *libido du moi*. Les pulsions du moi, dans ce texte comme dans toute l'œuvre freudienne jusqu'en 1920, désignent les grandes fonctions vitales dont le but est l'auto-conservation de l'individu biologique. Constamment, elles sont opposées, en un grand dualisme, comme pulsions d'auto-conservation *non-sexuelle*, à la pulsion sexuelle. Si l'on garde en mémoire que, au contraire, la libido vient désigner la pulsion *sexuelle* sous son aspect énergétique, on voit que la libido du moi se situe dans l'autre volet du dualisme, désignant un investissement sexuel de l'objet-moi par opposition à la « libido d'objet » où la sexualité est investie

---

(1) *Ibid.*, p. 154. Fr., p. 93.

au-dehors. Dans un cas, par conséquent, il s'agit d'une déno-mination de la pulsion par son *but* ou par son *essence* : pulsions d'autoconservation ou du moi d'une part et pulsion sexuelle de l'autre, tandis que, dans l'autre cas, toute la distinction porte sur l'*objet* au sein du même groupe de pulsions : les pulsions sexuelles ou libido.

Une fois ces deux dualités posées, et l'on voit qu'elles se situent à deux niveaux fort différents, il faut soulever une fois de plus un problème d'interprétation : si la distinction doit être maintenue, comment malgré tout expliquer cette ambiguïté apportée par une désignation commune et comme en écho : pulsions *du moi*, libido *du moi* ? Interprétation qui nous ramène encore à la problématique d'ensemble que nous essayons d'esquisser ici, celle du passage du moi comme individu biologique — tel que justement il apparaît à « l'origine » des « pulsions du moi » — au moi comme instance qui peut être objet de la « libido du moi » et relai sur le trajet de celle-ci : c'est là toute la problématique de la *dérivation du moi psychanalytique*.

A titre d'appui provisoire, pour soutenir la compréhension de cette « introduction du narcissisme », nous proposerons encore deux schémas. L'un tente de figurer le

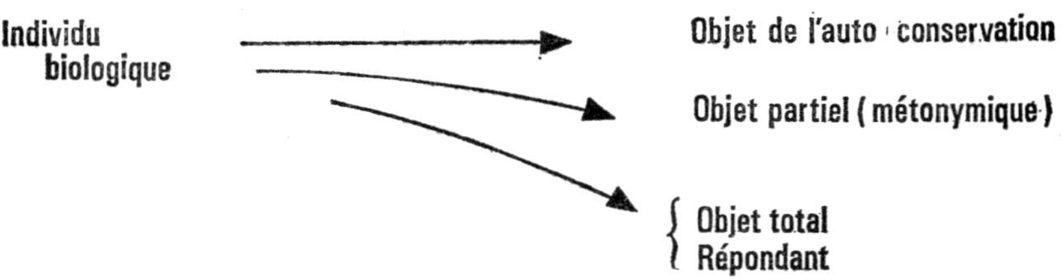

mouvement du choix d'objet par étayage, donc un mouvement de décalage, de détachement progressif, qu'on peut nommer *métonymique*, entre les différents objets, aussi bien dans la contiguïté du lait et du sein que dans le rapport de partie à tout qui est celui de l'objet partiel (le sein) à l'objet total (la mère).

Le schéma du choix d'objet narcissique est tout à fait différent : ici, il ne s'agit pas d'une déviation ou d'un glissement, mais d'une rotation d'un certain angle autour d'un pivot.

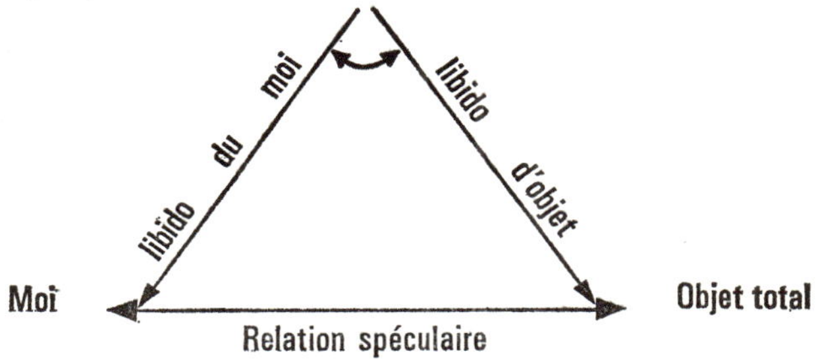

Le mouvement est reversible, la libido pouvant se porter tantôt sur l'un tantôt sur l'autre de ces objets qui sont dans une relation réciproque spéculaire. Le choix d'objet narcissique s'opère donc par transport global, en un autre lieu (de « l'intersubjectif » à « l'intrasubjectif » et vice-versa), de l'énergie et de la forme objectale que cette énergie maintient.

Ces deux choix d'objet ne nous sont donnés que comme deux types idéaux et, en ce sens, abstraits. Même si l'un est supposé être plus caractéristique de la vie amoureuse de l'homme et l'autre de la femme, ils représentent en fait deux possibilités ouvertes à tout être humain, même si dans tel cas particulier ou à tel moment telle voie est préférée, voie narcissique ou voie anaclitique, ou si les deux types de choix se trouvent selon des modalités variables, mêlés l'un à l'autre. Une telle intrication, dans tout *choix d'objet réel*, des processus métaphorique et métonymique n'est pas pour nous surprendre : en plus d'un domaine, l'investigation psychanalytique montre que le surgissement d'une « réalité psychique » et sa consolidation se produit au lieu d'un tel entrecroisement métaphoro-métonymique (1).

Une des tâches de la théorie psychanalytique reste de penser l'articulation de ces deux modes de choix d'objet ou de « dérivation » de l'objet. Les deux schémas figurés que nous avons proposés révèlent ici leur caractère purement provisoire : il ne saurait être question simplement de les juxtaposer ou de les combiner. Dans le choix d'objet ana-clitique, notamment, le mouvement qui porte au-delà de l'objet partiel ne saurait être conçu *uniquement* comme passage à la « totalité » : l'objet « total » est aussi le « répon-dant » de l'objet partiel. Ainsi, les vecteurs orientés vers l'autre humain dans l'un et l'autre choix ne sont pas stric-tement superposables.

La description par Freud de différentes modalités du choix amoureux, quelle que soit leur diversité et leur complexité, ne laisse cependant pas de doute sur un point : la prévalence du narcissisme sinon dans toute relation libidinale, du moins dans toute relation *amoureuse* au sens de la passion, cet état de dessaisissement de soi qu'il nomme « *Verliebtheit* ». Cela est évident notamment dans la description du choix d'objet par l'homme, dont Freud affirme cependant que, dans ses exemples caractéristiques, il réalise « le plein amour d'objet selon le type par étayage ». Même dans ce cas, en effet, si *le type de l'objet* n'est pas calqué sur le moi mais choisi dans la lignée de la « femme qui donne ses soins », l'énergie libidinale est toujours empruntée au moi, et tou-jours prête à y faire retour. Cette origine se traduit dans *la forme de la relation*, où l'enthousiasme et la sures-timation apparaissent comme des traits narcissiques : « La surestimation sexuelle, frappante dans cet amour d'objet par étayage, a bien son origine dans le narcissisme originaire

---

(1) Cf. Laplanche (J.), *Dérivation des entités psychanalytiques*, in *Hommage à Jean Hyppolite*, Paris, P. U. F., 1970.

de l'enfant et répond donc à un transfert de ce narcissisme sur l'objet sexuel (1). » Ainsi l'aveuglement amoureux d'Éros — ce terme étant pris au sens qu'il aura dans la dernière théorie des pulsions, et non pas au sens de l'érotique des « Trois essais sur la sexualité » — est le stigmate indéniable et définitif de l'élément narcissique existant, pour Freud, dans tout amour. Plus encore : il convient même de rectifier l'affirmation selon laquelle, dans l'état amoureux de l'homme, la forme de l'objet, pour le moins, ne serait pas calquée sur le moi. Car, précisément, l'altruisme de l'amoureux, le « dessaisissement » de son propre narcissisme chez celui qui est en quête de l'amour d'objet, ont pour contrepartie la capture par une autre « belle totalité » : la femme autosuffisante, bel animal narcissique qui n'aime que lui-même... Ainsi c'est dans l'instant même où l'homme — et où Freud — va sacrifier à l' « objectalité » qu'il bascule, dialectiquement, dans une autre forme du narcissisme... (2).

Cette description du choix d'objet narcissique dans la vie amoureuse de l'être humain permet enfin à Freud de faire retour au problème du *narcissisme infantile*, retour qui est un véritable *retournement de perspective*. Si, en une première démarche, le « narcissisme infantile » avait pu être apporté comme argument en faveur de l'hypothèse d'un narcissisme originaire, avec toutes les ambiguïtés que celui-ci comportait, maintenant, il est explicitement reconnu que ce narcissisme infantile doit lui-même être inféré : « Le narcissisme primaire de l'enfant, dont nous avons supposé l'existence et qui constitue l'une des présuppositions de nos théories sur la libido, est moins facile à saisir par l'obser-

---

(1) Freud (S.), *Pour introduire le narcissisme*, G. W. X., p. 154. Trad. Fr., p. 94.
(2) Nous avons esquissé une description de ces mouvements de bascule dans le choix d'objet, à propos de la passion amoureuse de l'Hypérion de Hölderlin : Laplanche (J.), *Hölderlin et la question du père*, Paris, P. U. F., 1961, chap. II : « les dialectiques de l'Hypérion ».

vation directe qu'à confirmer par un raisonnement récurrent à partir d'un autre point (1). » Or la perspective est maintenant inversée : c'est dans l'attitude des parents envers l'enfant, « Sa Majesté le Bébé », que sont décelés la surestimation, l'idéalisation et le sentiment mégalomaniaque de toute puissance, caractéristiques du choix narcissique. Freud voit ici la preuve du narcissisme infantile qui aurait jadis été celui des parents, et auquel ils feraient retour à l'occasion de la naissance de l'enfant : « L'amour des parents, si touchant et, au fond, si enfantin, n'est rien d'autre que leur narcissisme qui vient de renaître et qui, malgré la métamorphose en amour d'objet, manifeste à ne pas s'y tromper son ancienne nature (2). » Raisonnement qui pourtant n'emporte pas notre conviction; car il nous renvoie indéfiniment de narcissisme infantile en narcissisme infantile, ces « états narcissiques » qu'on voudrait clos sur euxmêmes étant inférés à partir de la seule situation constatable : le choix d'objet ou la *relation* narcissique parentsenfant. Il suffit donc d'aller un peu plus loin dans la direction indiquée par Freud pour interpréter les choses de la façon suivante : on parle généralement de la toute puissance narcissique et de l'illusion mégalomanique de l'enfant, or il ne s'agit là de rien d'autre que de la toute-puissance parentale inversée. C'est à partir de la toute-puissance parentale vécue comme telle par l'enfant, et de son introjection, que les états narcissiques mégalomaniaques de l'enfant peuvent se comprendre (3)... Ainsi, dans la structure si peu formaliste mais en même temps si serrée de cette « Introduction du narcissisme », la rapide description de la relation narcissique originaire se présente comme un rappel à l'ordre, léger coup

---

(1) FREUD (S.), *Pour introduire le narcissisme*, G. W., X., p. 157. Trad. Fr., p. 96.
(2) *Ibid.*, G. W., X., p. 158. Trad. Fr., p. 96.
(3) C'est comme un mécanisme de défense apparaissant à certains *moments*, et non comme le stade de départ du développement psychique, que Melanie Klein décrit la mégalomanie infantile.

de barre qui vient redresser une inclination sans cesse renouvelée à assimiler le « narcissisme primaire » à un état psycho-biologique anobjectal qui aurait effectivement et subjectivement existé en un premier stade.

Si nous avons schématiquement opposé « Pour introduire le narcissisme » aux textes métapsychologiques de 1915, il est cependant, parmi ceux-ci un écrit pour lequel cette opposition ne vaut pas : « Deuil et mélancolie ». A propos du repli mélancolique en effet, aussi bien qu'en ce qui concerne l'expansion maniaque, la découverte du narcissisme comme type de choix d'objet et comme mode d'identification apporte une des clés indispensables. Or, ce texte vient confirmer pleinement notre interprétation, s'il est vrai que le *narcissisme primaire* y est considéré comme *identique aux formes primaires de l'identification narcissique*. Remarque qui nous ramène à une autre façon de situer l'origine et l'évolution du moi : la théorie de l'*identification*.

Ici, on ne peut que rappeler le fait que la place de l'identification dans l'ensemble de la pensée psychanalytique n'a jamais été véritablement remplie, malgré les innombrables notations cliniques qui sont venues s'accumuler. En dépit des tentatives renouvelées, chez Freud lui-même, pour définir et délimiter différents types d'identification, la notion en reste soit trop simpliste, soit trop floue, comme si elle servait à dissimuler sous une même rubrique des phénomènes fort différents. Pour une première répartition, peut-être un peu scolastique (1) mais susceptible de faire apparaître de nouveaux regroupements, on pourrait très simplement distinguer les types d'identification en fonction de *ce à quoi il y a identification, du processus en cause* et enfin du *résultat*.

____

(1) ... Mais semblable, dans son inspiration, à certaines distinctions freudiennes, comme celles de la source, de la poussée, du but et de l'objet de la pulsion...

Identification à quoi ? Bien sûr à l' « objet », tout au moins si l'on prend ce terme au sens le plus large. Encore faut-il se demander s'il s'agit par exemple de l'objet total ou de l'objet partiel, et ni l'un ni l'autre de ces termes, à son tour, n'est simple. Dans l'identification à l'objet total, quel est le sens à donner à cette « totalité » ? Est-ce, par exemple, une totalité perceptive ? On peut le supposer dans certaines identifications comme celles qui structurent le moi à son début, mais on ne peut aussi s'empêcher de penser que le terme d'objet total désigne parfois, notamment chez Melanie Klein, autre chose que ce regroupement : le fait, notamment, qu'un autre humain peut donner une réponse qui vaut de façon totale ou plutôt absolue, réponse dont dépend par *tout ou rien*, l'enfant. De même, lorsqu'on parle d'identification partielle, on ne vise pas forcément le fait que c'est une partie localisée spatialement, un objet partiel (sein, phallus etc.) qui est visé. Il peut exister aussi des identifications à des traits partiels (1), non localisables. On pense à toutes les identifications à des traits de caractère par exemple ou même à telle saillie très localisée dans le temps ou l'espace, et souvent attrapée au vol en raison même de son caractère insolite et artificiel. Ce peut être encore une identification partielle à une parole, notamment à celle qui interdit : c'est là qu'il faudrait placer les identifications dites surmoïques, à propos desquelles les psychanalystes insistent sur la valeur fondatrice des paroles prononcées, des « restes acoustiques ».

Une interrogation sur le processus en jeu nous amènerait à nous demander s'il existe un dénominateur commun entre ces phénomènes habituellement rangés en une même rubrique : l'empreinte perceptive précoce dont l'éthologie nous montre les exemples les plus frappants dans la psychologie

---

(1) Trait unique selon Freud, dont Lacan, insistant non sans raison sur son aspect de « signifiant » a fait le « trait unaire ».

animale ; l'introjection d'un objet, calquée sur le modèle
d'un processus corporel ; ou encore un type d'identification
qui se réfère explicitement à la structure : identification à la
position de l'autre, supposant donc un jeu interpersonnel et,
en règle, au moins deux autres positions dessinant les sommets d'un triangle : il s'agit là, évidemment, de l'identification œdipienne.

Les effets ou résultats des identifications permettraient
enfin de distinguer, celles qui sont structurantes, définitives,
apportant un changement fondamental dans l'être psychique,
et d'autre part les identifications transitoires : identification
hystérique, la première repérée dans la clinique psychanalytique et même pré-psychanalytique — ou encore ce que
Freud bien plus tard a décrit comme identification au sein
des foules, lorsqu'un ensemble d'individus vient situer le
personnage prestigieux du leader à la place de cette instance
de la personnalité qu'est l'idéal du moi. Dans le cadre de
l'identification aboutissant à des changements structuraux,
il y aurait lieu aussi de distinguer nettement celles qui sont
fondatrices, « primaires », au point de départ de l'apparition
d'une nouvelle instance, et celles qui peu à peu aboutissent,
par une véritable sédimentation, à modeler et à enrichir
cette instance.

En fait, pour une identification donnée, objet, processus
et résultat se commandent réciproquement de façon très
étroite. Ainsi, pour la genèse du moi dont nous avons essayé
de tracer le dessin à la suite de Freud. L'identification
« moïque » doit être très précoce, s'il est vrai qu'elle doit
permettre la fondation d'une limite — esquissée sinon
définitivement tracée — qui rende compréhensible des
mécanismes aussi anciens que ceux de l'introjection et de la
projection : car tout ce que Melanie Klein a décrit comme
dialectique du bon et du mauvais, du partiel et du total,
de l'introjecté et du projeté, n'est pas concevable sans la
première frontière d'un moi, fût-il très rudimentaire, déli-

mitant un dedans et un dehors. Seule cette première notion d'un moi fournit aux premiers fantasmes oraux le minimum de termes nécessaires à leurs articulation dans le « langage de la pulsion orale » : « Je veux mettre ceci en dedans de moi, je veux expulser ceci en dehors de moi (1). »

Nous sommes donc conduit à admettre l'existence d'une identification très précoce et probablement aussi très sommaire dans sa première phase, identification à une forme conçue comme limite, comme sac : le sac de la peau. La tentative la plus élaborée pour venir combler cette place laissée par la notion freudienne de moi, pour décrire cette « nouvelle action psychique » susceptible de faire passer de l'auto-érotisme au narcissisme, a été proposée par Jacques Lacan avec sa théorie du « stade du miroir ». Il reprend là, notamment, les observations faites par Wallon, mais en leur donnant une plus vaste portée. Le stade du miroir (2) a été parfois mal compris, dans la mesure où l'on a voulu le rendre indissociable de l'expérience particulière qui y est décrite : la reconnaissance par le petit enfant de sa forme dans l'appareil concret, technique, du miroir. Or l'intention de Lacan n'est certainement pas de lier de façon nécessaire l'apparition du moi humain à la création de l'*instrument* du miroir ni même par exemple au fait que, Narcisse, il puisse se mirer dans un plan d'eau. Dans l'observation de l'enfant au miroir, ce dernier n'est que le révélateur, pour nous, de quelque chose qui, de toute façon, se passe sans cet appareil : la reconnaissance de la forme de l'autre humain et la précipitation corrélative dans l'individu, d'une première ébauche de cette forme.

Il serait cependant inexact de dire que Freud n'ait pas

---

(1) Cf. FREUD (S.), 1925 *Die Verneinung* (*La dé-négation*), G.W., XIV, p. **13**.
(2) LACAN (J.), *Le stade du miroir comme formateur de la fonction du Je, telle qu'elle nous est révélée dans l'expérience psychanalytique.* In : Revue française de psychanalyse, 1949, XIII, 4.

cerné la place de l'identification spéculaire. Celle-ci est présente, non seulement dans « Deuil et mélancolie », mais surtout dans un passage extrêmement dense de « Le moi et le ça », où il est précisé que « le moi est avant tout un moi corporel, il n'est pas seulement un être de surface, mais il est lui-même la projection d'une surface (1). » Indication apparemment énigmatique, mais commentée dans l'édition anglaise des Œuvres Complètes par une note qui a reçu l'approbation de Freud : « Le moi est en dernier ressort dérivé de sensations corporelles, principalement de celles qui naissent de la surface du corps. Il peut ainsi être considéré comme une projection mentale de la surface du corps, à côté du fait qu'il représente la superficie de l'appareil psychique (2). » Les perceptions qui « participent à l'apparition du moi et à sa séparation d'avec le ça » nous sont d'ailleurs précisées : il s'agit d'une part de la perception visuelle qui permet d'appréhender le corps « comme un autre objet », d'autre part des perceptions tactiles, la surface cutanée ayant une position bien particulière par le fait que le sujet peut ici explorer son propre corps avec une autre partie du corps, la peau étant perçue à la fois de l'intérieur et de l'extérieur, et pouvant être, pour ainsi dire, contournée. La perception de la douleur, enfin, est mentionnée là comme un dernier facteur, et ce sera pour nous l'occasion de rappeler la présence constante, dès les débuts de la pensée freudienne, d'une théorie de la *douleur* bien précise et tout à fait différente de la conception du *déplaisir*. Dès le « Projet de psychologie scientifique » de 1895, la douleur trouve une place à part, dans le cadre notamment d'une « expérience de douleur » considérée, un temps, comme symétrique de « l'expérience de satisfaction (3). » De par sa qualité, la douleur

----

(1) FREUD (S.), 1923, *Das Ieh und* das Es (*Le moi et le ça*), G.W., XIII, p. 253.
(2) FREUD (S.), S.E., XIX, p. 26.
(3) FREUD (S.), 1895, *Projet de Psychologie scientifique* in : *La naissance de la psychanalyse*, Ed. All. pp. 404-405 Trad. fr., Paris P. U. F., 1956, p. 338-339.

est présentée comme « indubitablement » différente du déplaisir. Du point de vue des processus en cause, elle se caractérise avant tout par un phénomène de rupture des barrières : « lorsque des quantités [d'énergie] excessives font effraction dans les dispositifs protecteurs en φ » (1). Ainsi, la douleur est *effraction* et suppose l'existence de la limite, et sa fonction dans la constitution du moi ne peut se concevoir que si celui-ci, à son tour, se définit comme un être-limité (2).

Freud nous indique ainsi nettement les deux dérivations conjointes du moi à partir de la « surface » : il est d'une part la surface de l'appareil psychique, différenciée à partir de celui-ci, organe spécialisé en continuité avec l'appareil, et d'autre part la projection ou métaphore de la surface corporelle, métaphore pour laquelle les différents systèmes perceptifs ont leur rôle à jouer. De ces deux conceptions du rapport du moi-instance-psychique au moi-individu-vivant, nous avons néanmoins placé l'une au premier plan : la conception métaphorique selon laquelle le moi se constitue *en dehors* des fonctions vitales, comme objet libidinal. L'une des raisons de cette préférence provient de l'expérience psychanalytique du *conflit*, pour lequel un des modèles les plus satisfaisants est celui d'une opposition entre libido d'objet et libido narcissique ou libido du moi (3). Cette opposition est proche de celle qui se retrouve sur le plan économico-dynamique, entre le processus primaire et le processus secondaire : le processus primaire représentant la sexualité sous sa forme non liée, le processus secondaire au contraire se

---

(1) *Ibid.*, p. 404. Trad. fr., p. 338.

(2) L'angoisse, par rapport à la limite du moi, est l'exacte métaphore de la douleur par rapport à la limite corporelle.

(3) Et non pas entre les pulsions sexuelles et les pulsions du moi ou d'auto-conservation, comme Freud l'a cru à certains moments.

rapportant à la « stase » de la libido dans le moi et à la stabilité relative des objets d'amour qui elle-même reflète la stabilité relative de la forme du moi.

Il resterait cependant à ne pas répudier, à côté de cette conception du moi à l'image de la forme du vivant, l'autre conception : celle du moi comme organe ; lui faire sa place, même s'il faut concevoir cette place comme, à son tour, imaginaire, *un imaginaire qui n'est pas seulement celui des tenants de la « psychologie du moi », mais celui du moi lui-même*. Nous constatons, en effet, une sorte de reprise des fonctions vitales, débiles et immatures, par le moi et son support libidinal. Nous rappelions plus haut ce propos, bien banal, des parents anxieux de voir leurs enfants s'alimenter : une cuiller pour papa (c'est à dire : pour l'amour de papa), une cuiller pour maman (pour l'amour de maman). Mais aussi : une cuiller pour « moi » (c'est-à-dire : une cuiller pour l'amour de moi — du moi) ce qui signifie bien le caractère fondamental de l'investissement narcissique pour le fonctionnement vital lui-même, pour l'autoconservation de tout être humain. Nous rappelions aussi qu'un trouble de l'amour, une névrose, peut se traduire en trouble de l'alimentation, en anorexie. Mais, à côté de l'anorexie névrotique, œdipienne, celle qui trouve son pivot dans « la cuiller pour papa » et « la cuiller pour maman », nous rencontrons l'anorexie psychotique où cette fois le problème est celui de « la cuiller pour moi » donc d'un trouble foncier de l'amour du moi.

Mais s'il est vrai que la faim et la fonction d'alimentation peuvent se trouver complètement supportées, réendossées par l'amour et le narcissisme, pourquoi ne pas le concevoir aussi de telle autre fonction vitale, et peut-être de la « perception » elle-même ? Le rapport du moi à la perception, tel que le conçoit une certaine « psychologie du moi », se trouverait renversé tout en restant aussi étroit. Le moi ne bourgeonne pas à partir du « système perception », mais d'une

part il est formé à partir de perceptions, et d'abord à partir
de la perception du semblable, et d'autre part il reprend à
son compte, libidinalement, la perception. Je perçois, de
même que je mange, « pour l'amour du moi »... On voit qu'au
sein de la psychanalyse il y a place pour une théorie du moi,
qui ne serait néanmoins en rien semblable à la psychologie
académique et classique que l'on a voulu réinjecter dans la
pensée psychanalytique. Ce qu'un auteur comme Federn a
développé concernant le moi, ses frontières, leur investissement, leur dilatation ou leur perte, indique ici une certaine
voie.

Ces quatre premières conférences ont tenté de montrer
comment la sexualité et le moi, ces deux pôles du conflit
auxquels la psychanalyse a affaire, se trouvent tous deux en
connexion, mais de façon très différente, avec ce qu'on peut
nommer « l'ordre vital ». La sexualité, en effet, laisse la vie
hors de son champ, lui empruntant seulement des proto-
types pour ses fantasmes. Le moi, au contraire, semble
réassumer l'ordre vital pour son propre compte : il le réassume
dans son essence : constitué qu'il est sur le modèle d'un
vivant, avec son niveau, son homéostase, son principe de
constance. Et d'autre part il le prend en charge du fait
qu'il vicarie les fonctions vitales, si bien qu'à la limite
on peut résumer différentes propositions avancées plus
haut en un « je vis pour l'amour de moi, pour l'amour du
moi ».

Des deux côtés du conflit c'est donc la sexualité qui serait
présente, sexualité « libre » d'un côté, sexualité « liée » de
l'autre, c'est à dire du côté du moi. A l'arrière plan, les phénomènes vitaux, mais réfractés et, en eux-mêmes, absents
du champ qui nous intéresse. Ils ne sont là qu'à l'horizon du
domaine proprement psychanalytique, peut-être même à
l'horizon de tout ce que nous sommes capables de dire sur
l'être humain.

Pourtant, apparemment, ce n'est pas cette métapsychologie, en germe dans le moment nodal du « narcissisme » qui va se développer. Du moins va-t-elle devoir passer par une mutation apparemment imprévisible : celle qu'apporte la « pulsion de mort ».

V

AGRESSIVITÉ ET SADO-MASOCHISME

La pulsion de mort ? C'est une interrogation autour de ce terme fondamentalement nouveau, venant bousculer en 1920 toute la théorie des pulsions, qui fera l'objet de nos deux dernières conférences. Notre intention n'est pas tant de poser, dans l'abstrait, la question de la validité de ce concept, mais de tenter d'en situer la place dans l'économie générale de la pensée freudienne, et si possible à la fois dans la dimension diachronique et dans la dimension synchronique. Et si, d'emblée, nous sommes certain qu'un tel concept, arrivant à ce stade de l'œuvre, ne peut vraisemblablement être ni fondamentalement hétérogène à l'inspiration précédente de celle-ci, ni d'autre part simple redite, il nous faudra réussir à montrer de quoi, dans l'histoire de l'œuvre, il est le retour et par quelle voie ce retour a trouvé sa dérivation, et d'autre part, dans la simultanéité de la « doctrine » de 1920, à quoi il fait pendant, voire contre-poids.

Notre intention n'étant pas de tenter d'épuiser une tâche aussi complexe, nous proposerons, pour l'aborder au moins, une hypothèse d'attente permettant de subdiviser la question : deux intentions au moins viennent se rencontrer dans l'affirmation de la pulsion de mort telle qu'elle apparaît dans « Au-delà du principe de plaisir » : réaffirmer le principe économique fondamental de la psychanalyse et ceci sous sa forme la plus absolue : la tendance au zéro ; donner un statut métapsychologique, dans la théorie des pulsions, aux découvertes toujours plus nombreuses et plus impressionnantes de la recherche psychanalytique concernant le registre de « l'agressivité » ou de la « destructivité ». C'est par ce second thème que nous commencerons.

Il serait aisé de recenser, dans la pensée freudienne et plus généralement dans l'expérience psychanalytique, telle qu'elle se développe avant 1920 ou même avant 1915, les moments et les lieux multiples où se repèrent les manifestations dites agressives : complexe d'Œdipe, toujours décrit avec ses deux composantes négative et positive, ambivalence amour-haine (notamment dans la névrose obsessionnelle), manifestation négative de la cure (transfert négatif, résistance...), perversion sado-masochique, aspects sadiques des phases prégénitales, etc. Lorsque Freud, historien de Freud, minimise rétrospectivement son appréciation de l'importance de ces phénomènes avant 1920, il peut invoquer deux arguments principaux : l'absence de reconnaissance *théorique* d'une *pulsion* agressive, et d'autre part, la méconnaissance du primat de l'auto-agression sur l'hétéro-agression. Cette vision rétrospective, partiellement faussée comme en chaque occasion où Freud se retourne vers l'histoire de sa propre pensée, peut servir de point de départ à notre réflexion.

Le premier argument, de toute façon, ne doit pas être surestimé. Certes, avant 1920, non seulement la pulsion d'agression n'apparaît pas (1), mais le terme d'agressivité est lui-même pratiquement absent. Mais ne pas reconnaître l'existence d'une pulsion d'agression ne signifie pas néces-

---

(1) Sauf pour être critiquée lorsqu'Adler en émet l'hypothèse.

sairement négliger la théorie de l'agressivité, du sado-masochisme et de la haine : théorie qui est explicitement développée, notamment dans « Pulsions et destins des pulsions » (1915). De même, serions-nous enclin à nous étonner lorsque nous voyons Freud ranger sous le même chef de la résistance « affective » à la reconnaissance de l'agressivité sa propre pensée d'avant 1920 et la théorie des tenants d'une « bonne nature humaine » (1). Il semble qu'il y ait là, sinon une ignorance du moins une minimisation de tout un courant pessimiste régnant, aussi bien dans la pensée philosophique et politique occidentale que dans la propre inspiration freudienne, dès ses débuts.

Cependant, l'essentiel dans l'affirmation de la pulsion de mort ne réside ni dans la découverte de l'agressivité, ni même dans sa théorisation voire dans le fait de l'hypostasier en une tendance biologique ou métaphysique universelle. Elle est dans l'idée que l'agressivité est d'abord tournée vers le sujet et comme stagnante en lui, avant d'être défléchie vers l'extérieur — le « sujet » étant entendu ici à tous les niveaux, aussi bien l'être biologique le plus élémentaire, le protiste ou la cellule, que l'individu biologique multicellulaire, et, évidemment, l'individu humain pris aussi bien comme individualité biologique que comme « vie psychique ». C'est là la thèse du « masochisme primaire » ou « originaire », et les apparences plaident de façon massive pour nous laisser supposer que cette thèse est foncièrement nouvelle, qu'elle ne surgit qu'avec la position, en 1920, de l'être mythique qu'est la pulsion de mort. Pourtant, sans vouloir minimiser la nouveauté de la dernière théorie freudienne des pulsions, nous voudrions montrer quel lien, ténu mais solide, la relie à la thèse qui se dégage en 1915, d'une réflexion à la fois clinique et dialectique sur la genèse du

---

(1) FREUD (S.), 1932, *Nouvelles conférences introductives à la psychanalyse*, G.W., XV, p. 310. Trad. fr., Paris, Gallimard, 1936, p. 141.

sado-masochisme. Cette théorie, implicite, sans doute imparfaitement dégagée par Freud lui-même, et surtout vite recouverte, comporte selon nous une double armature : l'usage de la notion d'étayage dans la théorie du sado-masochisme, et la priorité du temps masochiste dans la genèse de la pulsion sado-masochiste, en tant que celle-ci est pulsion sexuelle — donc pulsion au véritable sens du « *Trieb* » freudien.

S'il est exact que ces deux propositions peuvent être retrouvées, entrelacées à la trame de l'argumentation freudienne, mais aussi qu'elles s'y trouvent fréquemment éclipsées ou occultées, il convient, pour les remettre en évidence, d'user d'une sorte de révélateur qui seul leur rend leur relief : la distinction du « sexuel » et du « non-sexuel ». Cette distinction est explicitement affirmée par Freud dans tous les textes où il étudie le sado-masochisme : « Trois essais sur la sexualité », dès la première édition et dans chacun de leurs remaniements, « Pulsions et destins des pulsions », « Le problème économique du masochisme » (1924), les « Nouvelles Conférences » (1936) etc. Mais cette opposition n'est pas régulièrement fixée en une distinction terminologique absolue : « sadisme » et « masochisme » sont parfois utilisés, à quelques lignes de distance, tantôt pour désigner la violence non sexuelle, tantôt pour une activité liée plus ou moins étroitement à un plaisir sexuel. Une telle « confusion » tend à réapparaître, même lorsque Freud semble vouloir réserver les termes de sadisme et de masochisme à l'aspect de la violence qui est sexualisé. Dans de tels cas, il est quelquefois obligé d'affecter ces termes d'une sorte d'exposant ou de déterminatif qui les distingue : il parle de « sadisme proprement dit » ou de « masochisme proprement dit ». Nous nous trouvons là, évidemment, devant un problème « terminologique » qui engage la chose même : à notre avis, les glissements que Freud laisse s'établir au sein d'oppositions conceptuelles qu'il perçoit parfaitement et qui servent même de ligne directrice à son raisonnement, *ne sont pas autre chose que le glissement qui s'opère, dans la genèse de la pulsion sexuelle, par le mouvement de l'étayage.* Cependant, une fois nettement affirmée cette coaptation du texte freudien et des signifiants qu'il utilise avec la dialectique de ce qu'il décrit, nous sommes obligé, — lecteur de Freud — afin de mieux contrôler et de mieux repérer les glissements en jeu, de forcer dans le sens d'une certaine fixité terminologique : nous réserverons donc les termes sadique (sadisme), masochique (masochisme) à des tendances, des activités, des fantasmes, etc. qui comportent nécessairement, que ce soit de façon consciente ou inconsciente, un élément d'excitation ou de jouissance *sexuelles.* Nous les distinguerons par là de la notion d'agressivité (auto- ou hétéro-agressivité) qui, elle, sera considérée comme d'essence non-sexuelle. Cette distinction préalable ne préjuge en rien de l'existence effective d'une l'agressivité non-sexuelle, et, inversement, elle n'infirme pas *a priori* que des comportements appelés communément « sadiques » puissent ressortir, en réalité, à des composantes instinctuelles non-sexuelles (1).

Si, comme nous le pensons, la théorie freudienne de l' « étayage » doit être utilisée comme schéma directeur pour comprendre le problème du sado-masochisme, rappelons rapidement deux aspects majeurs de cette théorie : genèse marginale de la sexualité — genèse de la sexualité dans le temps du retournement sur soi. D'une part en effet, l'étayage implique que la sexualité, la pulsion, apparaît à partir des activités non-sexuelles, instinctuelles, — le plaisir d'organe à partir du plaisir de fonction. Toute activité,

---

(1) Notre usage s'oppose ici à celui de Mélanie Klein, pour laquelle « sadisme » est purement et simplement synonyme d'agressivité ou de destructivité. Il y a eu, là aussi, glissement. Mais celui-ci s'est opéré du sens sexuel au sens non-sexuel, et, d'autre part, il n'a pas conservé la mémoire du premier sens, non plus que le souvenir du passage lui-même : il y a simple changement de sens, désexualisation du sadisme.

toute modification de l'organisme, tout ébranlement est, susceptible d'être la source d'un effet marginal qui est précisément l'excitation sexuelle au point où se produit cet ébranlement. L'étayage est donc cet appui de la sexualité naissante sur des activités non-sexuelles, mais le surgissement *effectif* de la sexualité n'est pas encore là. Celle-ci n'apparaît, comme pulsion isolable et repérable, qu'au moment où l'activité non-sexuelle, la fonction vitale, se détache de son objet naturel ou le perd. Pour la sexualité, c'est le moment réfléchi (*selbst* ou auto-) qui est constitutif, moment de retournement sur soi, « auto-érotisme » où l'objet a été remplacé par un fantasme, par un objet *réfléchi* dans le sujet.

Si la théorie de l'étayage s'est trouvée de plus en plus reléguée au second plan et même refoulée, il en va de même à plus forte raison pour son application au problème du masochisme. Cependant, deux textes freudiens majeurs « Pulsions et destins des pulsions » et « Le problème économique du masochisme » en portent nettement la trace, deux textes séparés par le tournant de 1920 mais où se retrouve, malgré cette séparation, une convergence tout à fait remarquable qui n'a peut-être pas été perçue par Freud lui-même.

« Pulsions et destins des pulsions » étudie, on le sait, des modifications profondes de la pulsion dans leur but et leur objet, modifications qui peuvent être étudiées comme une dialectique propre, interne à la pulsion elle-même, indépendamment du fait que ces « destins » peuvent donner appui à des mécanismes proprement défensifs. A propos du sadisme et du masochisme, ce sont deux « destins » voisins qui entrent en jeu : « le renversement dans le contraire » et « le retournement sur la personne propre ». Le renversement dans le contraire, c'est par exemple le passage d'une pulsion de l'activité à la passivité ou vice versa, ce qui amène à concevoir une sorte de complémentarité entre les deux positions, de même que de l'une à l'autre proposition, active et passive, on passe, d'un point de vue grammatical, par une simple « transformation » réversible. Le « retournement sur la personne propre » concerne lui l' « objet » de la pulsion, objet qui peut être échangé, et, d'extérieur, devenir un objet interne : le moi propre. Cependant, Freud le note d'emblée, dans le passage : sadisme — masochisme, ces deux destins sont étroitement intriqués, et ne peuvent être distingués que par abstraction.

Ce texte de Freud, très dense, progresse comme en spirale, présentant toute une série d'approximations et de schémas qui ne s'annulent pas les uns les autres, mais viennent peu à peu compléter l'image d'une structure « génétique » commune. De plus, le schéma présenté pour le « couple d'opposés » : voyeurisme — exhibitionnisme doit être pris également en considération, comme Freud le laisse entendre. Mais, avant d'entrer dans quelques détails en ce qui concerne les schémas freudiens, indiquons l'enjeu de la question : les historiens de la pensée freudienne, et Freud lui-même, admettent que, après 1920, ce qui est considéré comme le temps premier est le temps réfléchi, masochiste : se faire souffrir ou se détruire soi-même. C'est de ce « masochisme primaire » que dériverait aussi bien, par retournement, le sadisme, que le masochisme pervers : trouver un autre susceptible de me faire souffrir. Au contraire, avant 1920, et notamment dans « Pulsions et destins des pulsions », ce serait l'activité tournée vers un objet extérieur qui serait première (détruire l'autre, le faire souffrir, l'agresser...), donc le sadisme, tandis que le masochisme ne serait que le retournement de cette première attitude, un retournement d'ailleurs aisément compréhensible en fonction des obstacles rencontrés à l'extérieur et surtout de la culpabilité qu'entraîne l'agression.

Or, le retournement sur soi ne nous est pas inconnu dans le destin de la *sexualité en général* puisque c'est lui qui constitue le passage à l'auto-érotisme. Mais nous savons que, dans ce retournement auto-érotique, il existe une sorte de décalage, tromperie ou glissement, qui fait que *l'activité qui se retourne sur le sujet n'est pas la même que celle qui était dirigée vers l'extérieur*, mais une « dérivée » de celle-ci (selon un mouvement complexe de dérivation métaphoro-métonymique). Ainsi, de l'activité non-sexuelle tournée vers un objet vital se détache en se retournant l'activité sexuelle. Si donc nous prétendons montrer que la théorie freudienne du sado-masochisme est conforme à ce schéma de l'étayage, ce sera en faisant ressortir que : 1° Le premier temps actif, dirigé vers l'objet extérieur, n'est désigné par Freud comme sadique que de façon impropre ou par extension, puisqu'il s'agit d'un temps non-sexuel, donc à proprement parler agressif, destructeur. 2° La sexualité n'apparaît qu'avec le retournement sur soi, donc avec le masochisme, de sorte que, dans le *champ de la sexualité*, le masochisme est déjà considéré comme primaire.

Nous présenterons successivement trois schémas de dérivation ou, comme s'exprime Freud, de *destins* : le double retournement, forme active — forme réfléchie — forme active ; le retournement avec renversement dans le contraire, forme active — forme réfléchie — forme passive ; enfin la double dérivation symétrique, qui à partir de la forme réfléchie peut faire apparaître aussi bien la forme active que la forme passive.

1° Le passage central de tout ce texte est celui qui nous montre l'activité destructrice se retourner en masochisme, et celui-ci, à nouveau, être le point de départ d'une activité sadique (1). Mais nous ne pouvons utiliser ce texte qu'en y introduisant notre commentaire, et, avec celui-ci, la distinction, à chaque pas, de ce qui est activité non-sexuelle

---

(1) G.W., X, p. 221. Trad. fr., in : *Métapsychologie*, Paris, Gallimard, 1968, p. 28-29.
Les passages entre crochets sont des commentaires de J. Laplanche.

et de ce qui est lié au plaisir sexuel. Grâce à cette distinction qui d'ailleurs ne fait que suivre les indications très claires de Freud, le développement trouve sa seule interprétation possible à la lumière de l'étayage :

« Pour concevoir le sadisme, on se heurte à cette circonstance : cette pulsion semble, à côté de son but général (ou pour mieux dire peut-être : à l'intérieur de celui-ci), poursuivre une action commandée par un but tout à fait spécial...» [Ainsi d'emblée est posé le problème de la double nature et du double but de l'activité sadique.]

« Il faut humilier, dominer... »
[buts qui sont ceux de l'agressivité.]

« mais aussi infliger de la douleur... »
[but proprement sexuel donc sadique «à proprement parler».]

« Or la psychanalyse semble montrer qu'infliger de la douleur ne joue aucun rôle dans les buts originairement poursuivis par la pulsion... »
[Ainsi ce qui est premier c'est une agressivité tournée vers l'extérieur mais non-sexuelle. Cette pulsion, c'est celle qu'à d'autres moments Freud nomme « pulsion d'emprise » soit la tendance à se rendre maître de l'autre pour arriver à ses fins mais sans que cette action qu'on pourrait dire purement instrumentale implique aucune jouissance sexuelle par elle-même.]

« Pour l'enfant sadique, infliger de la douleur n'entre pas en ligne de compte, ce n'est pas ce qu'il vise... »
[Ici nous sommes contraints de transposer « l'enfant sadique » en « l'enfant agressif ». En effet cet enfant est supposé détruire ce qui se trouve sur son chemin, sans que la destruction soit par elle-même visée, ni non plus la subjectivité de l'autre, c'est-à-dire sa douleur, et encore moins la jouissance trouvée à la douleur de l'autre. Peu nous importe d'ailleurs que cette description d'un enfant, simple force de la nature, cherchant à réaliser ses buts et cassant ce qui se trouve sur son passage, soit la description d'un temps

réel, si fugitif soit-il, ou la position d'un temps idéal : de toute façon c'est une genèse idéale qui nous est présentée.]

« Mais, une fois que la transformation en masochisme s'est accomplie... »
Donc le retournement de l'agressivité sur soi, mais ici « masochisme » est pris en son sens propre, à la fois sexuel et non-sexuel.]

« les douleurs se prêtent parfaitement à fournir un but passif masochiste ; nous avons en effet toutes raisons d'admettre que les sensations de douleur comme d'autres sensations de déplaisir... »
[On voit que Freud distingue nettement, au sein du domaine général du déplaisir, le phénomène très particulier de la douleur, et que c'est *ce dernier qui est lié à l'essence du masochisme.*]

« débordent sur le domaine de l'excitation sexuelle et provoquent un état de plaisir ; voilà pourquoi on peut aussi consentir au déplaisir de la douleur... »
[Ainsi la douleur est un ébranlement comme tout autre ébranlement ; comme tous ceux dont la liste était déjà esquissée dans les « Trois essais », elle peut être « source indirecte de la sexualité » au même titre par exemple que l'exercice physique ou le travail intellectuel. L'idée de « déborder » sur le domaine de l'excitation sexuelle évoque bien le caractère « marginal » de cette production de plaisir.]

« Une fois qu'éprouver de la douleur est devenu un but masochiste, le but sadique, infliger des douleurs, peut aussi apparaître, rétroactivement... »
[Cette fois il faut lire : « sadique à proprement parler », au sens sexuel, puisqu'il s'agit de l'apparition d'un but nouveau qui n'existait pas dans le premier temps actif de la pure destructivité.]

« Alors, provoquant ces douleurs pour d'autres, on jouit soi-même de façon masochiste dans l'identification avec l'objet souffrant... »

[Ainsi, aussi bien lorsqu'on parle fantasme que lorsqu'on parle sexualité, c'est le temps masochiste qui est premier. Le fantasme masochiste est fondamental, tandis que le fantasme sadique implique l'identification à l'objet souffrant; c'est dans la position souffrante que réside la jouissance sexuelle.]

« Naturellement, on jouit, dans les deux cas, non de la douleur elle-même, mais de l'excitation sexuelle qui l'accompagne, ce qui est particulièrement commode dans la position de sadique. »

[Freud tente ici de se tirer de la difficulté « jouir de la douleur » en déplaçant le problème ; mais la formule « jouir de l'excitation » suscite la même aporie, du moins si l'on veut s'en tenir au point de vue « économique ». Nous reprendrons plus loin cette question.]

« Jouir de la douleur... »

[« Dans les deux cas », donc aussi bien sa propre douleur que celle de l'autre.]

« serait donc un but originairement masochiste... »

[On a là tout le masochisme « originaire ».]

« mais qui ne peut devenir un but pulsionnel... »

[Devenir une pulsion au sens propre du terme c'est devenir sexualité.]

« que chez celui qui est originairement sadique... »

[A moins d'abolir toute interprétation possible de ce passage, il faut se résoudre à retransposer à nouveau « sadique » en « agressif » : la pulsion sexuelle sado-masochiste, jouir de la douleur, trouve son origine au temps masochiste, mais sur la base du retournement d'une hétéro-agressivité originaire.]

Dans le même esprit où Freud le fait lui-même dans ce texte, nous schématisons ci-dessous ce premier destin avec son double retournement :

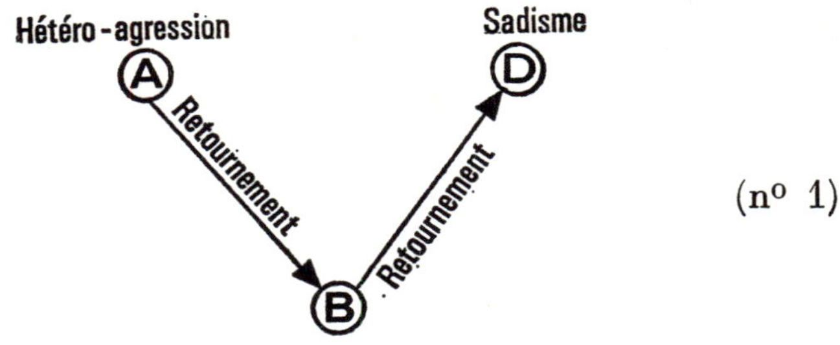

2° Un autre schéma nous est proposé qui, a travers différentes retouches, a l'intérêt de préciser le passage du sadisme au masochisme. Ce dernier, cette fois, nous est présenté sous deux aspects : « ce qu'on appelle communément masochisme » et qui implique passivité vis à vis d'une personne étrangère, et un stade intermédiaire où « on trouve le retournement sur la personne propre sans qu'il y ait passivité vis à vis d'une nouvelle personne. » (1) Les trois étapes en sont donc :

a : « une activité de violence, une manifestation de puissance à l'encontre d'une autre personne prise comme objet », activité que Freud dénomme sadisme, mais où il nous est bien précisé que la sexualité n'est pas en jeu.

b : le retournement sur la personne propre : « De la voix active, le verbe passe non pas à la voix passive mais à la voix moyenne réfléchie. » (2) Il s'agit du tourment infligé à soi-même, qui n'est pas encore le masochisme véritable.

c : le masochisme passif, où une transformation du but actif en but passif s'est opérée, ce qui implique la recherche d'une autre personne, comme « objet » [objet de la pulsion, mais sujet de l'action].

---

(1) Freud (S.), *Pulsions et destins des pulsions*, G.W., X, p. 221. Trad. fr., in *Métapsychologie*, Paris, Gallimard, 1968, p. 27.
(2) *Ibid.*, G.W., X, p. 221. Trad. fr., p. 28.

C'est au retournement de l'agressivité en auto-agression qu'est liée l'apparition de la composante sexuelle, par étayage, de sorte que c'est toujours au temps « auto- » que correspond l'émergence de la sexualité. Notons aussi qu'à ce temps « auto- » l'objet est perdu, et n'est retrouvé que dans le dédoublement fantasmatique (dans le stade b) puis dans la recherche du stade c où intervient l'interversion des rôles actif et passif (1).

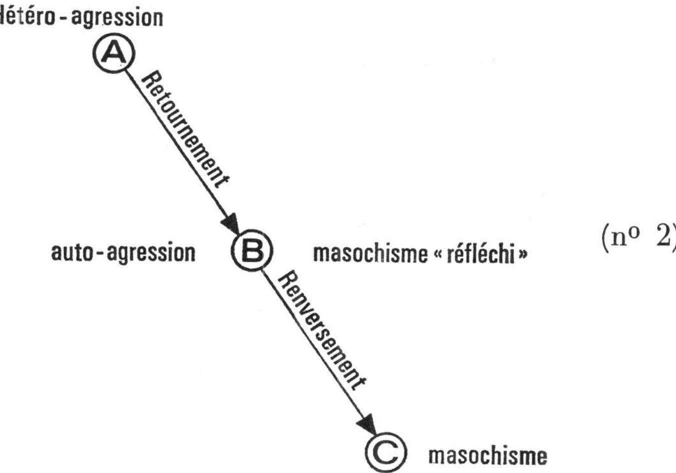

3° Enfin un troisième modèle assez différent, nous est présenté pour le destin de la « pulsion de voir ». Il s'agit de la

___

(1) Le rapprochement établi par Freud entre ces « destins » pulsionnels et les transformations grammaticales est tout à fait novateur, passionnant, bien qu'il s'opère encore dans une certaine confusion. Ainsi sont confondues par lui les voix « moyenne » et « réfléchie ». Pourtant il y aurait lieu de distinguer soigneusement le moyen du réfléchi dans la structure du fantasme, de même qu'ils sont tout à fait distincts grammaticalement et sémantiquement, même si la façon dont ils *s'énoncent* est parfois la même. Ainsi l'expression « se cogner » correspond à la fois à la forme moyenne (en marchant dans l'obscurité, je me suis cogné à la table) et à la forme réfléchie (je me cogne la tête contre les murs). La forme réfléchie distingue plus nettement sujet et objet de l'action, permettant, aux échanges fantasmatiques de position, de s'opérer. Dans la forme « moyenne » les termes du fantasme restent dans une sorte d'état de coalescence.

genèse, à partir de la forme moyenne ou réfléchie, des deux positions active et passive. Il n'y a pas là renversement, mais une sorte de position originaire, constituée par le temps « auto-érotique ». La position active naîtrait de la recherche, à l'extérieur, d'un objet étranger susceptible d'être substitué à l'objet propre, tandis que la position passive verrait une personne étrangère se substituer au sujet lui-même.

Nous reproduisons ci-dessous ce schéma, d'abord dans son application à la pulsion de voir :

α) Regarder soi-même un membre sexuel.   =   Membre sexuel être regardé par la personne propre.

(n° 3)

β) Regarder soi-même objet étranger (plaisir de regarder actif).   γ) Objet propre être regardé par personne étrangère (plaisir de montrer, exhibition).

...puis dans une transposition plus abstraite :

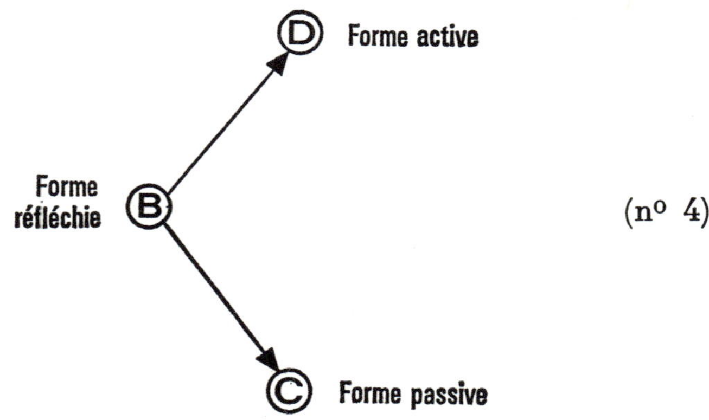

Il faut constater que Freud envisage la possibilité d'appliquer un tel schéma au cas du sado-masochisme, c'est-à-dire d'en faire dériver les formes active et passive d'une position réfléchie originaire. Sans doute écarte-t-il explicitement cette possibilité, tout en concédant qu'elle ne « serait pas à proprement parler absurde... » (1). Ce schéma, en effet, lui *semble* contradictoire avec la priorité de l'hétéro-agression affirmée plus haut. Priorité de la relation active à l'objet ou priorité du temps « auto- », nous retrouvons là une vieille querelle que nous avons déjà évoquée : ce qui est premier, est-ce un état anobjectal, fermé sur soi, réfléchi, comme semble vouloir l'indiquer notre dernier schéma, ou au contraire la relation à l'objet, qui serait primaire ? Or toute notre interprétation tend à montrer qu'il y a là une fausse querelle, et que ces deux affirmations sont tout à fait conciliables, en ce sens qu'elles ne se situent pas au même niveau : les schémas numéros 3 et 4, ceux qui font tout dériver d'un stade réfléchi originaire, se situent entièrement sur le plan de la sexualité : dans le problème de la pulsion de voir, dès le temps « α », réfléchi, il est question de « regarder *membre sexuel* » ou de « *membre sexuel* être regardé »... Au contraire, dans les séquences qui menaient de la forme active à la forme réfléchie, et de là soit à nouveau à l'activité (schéma numéro 1) soit à la passivité (schéma numéro 2), nous partions d'un temps premier qui était à strictement parler non-sexuel, la sexualité n'apparaissant qu'au second temps. On peut encore exprimer les choses en disant que le passage de A à B se situe dans la *genèse* de la sexualité, tandis que les transformations ultérieures, partant de B, figurent des *destins* de la sexualité.

Nous nous sommes donc permis de rapprocher et même de superposer les différents schémas qui nous ont été inspirés par les développements successifs de Freud, d'abord en les situant dans un même plan :

---

(1) *Ibid.*, fr., p. 30, G.W., X, p. 223.

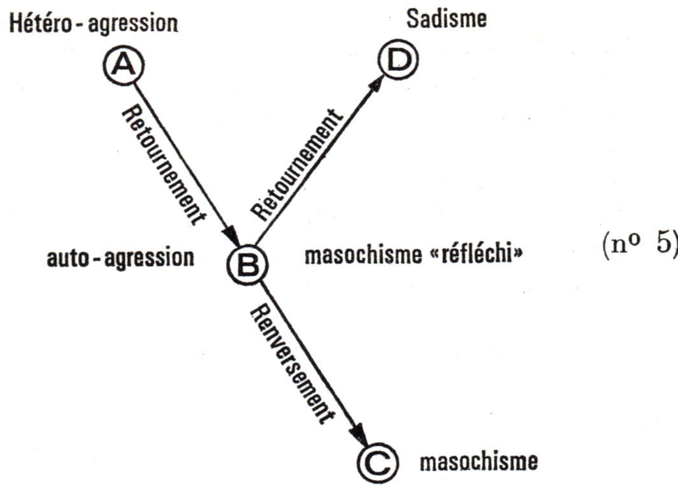

puis en un modèle à trois dimensions destiné à faire ressortir
l'existence de deux plans différents, celui de l'auto-conservation et celui de la sexualité, et à faire intervenir le processus
de l'étayage comme ligne d'intersection de ces deux plans :
Voir schéma n° 6, page ci-contre.

Un tel schéma montre à l'évidence comment se pose chez
Freud le problème du masochisme primaire, et combien les
hésitations qu'il affiche — et dont il veut témoigner par
exemple en des notes ajoutées après 1920 au texte de « Pulsions et destins des pulsions » — se trouvent en retard par
rapport à ce qui, déjà et d'emblée, se dégage de sa réflexion
sur la sexualité, idée qui n'a pas varié et ne variera pas, quels
que soient les avatars de la notion d'agressivité (non-sexuelle).

La contre-épreuve de notre interprétation pourrait être
trouvée dans le texte de Freud qui reprend la même question :
« Le problème économique du masochisme. »
Nous sommes en 1924. La grande opposition méta-biolo-

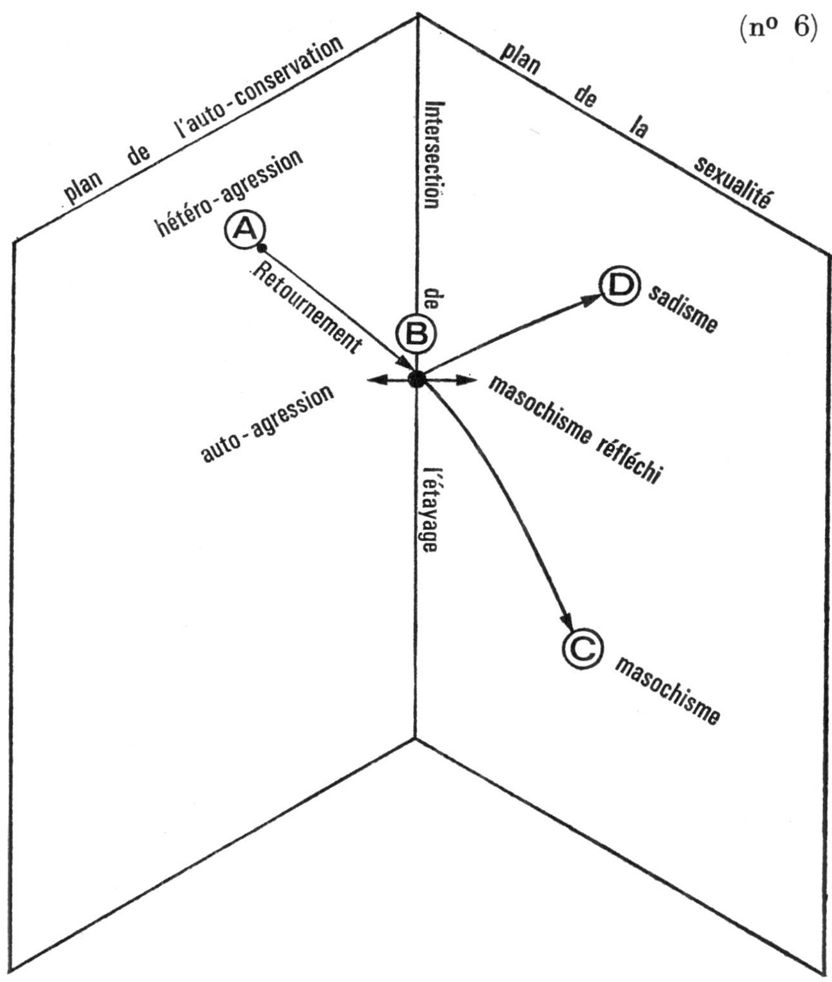

gique des pulsions de mort et des pulsions de vie constitue
désormais le fond de toute réflexion freudienne concernant
un problème d'origine. Il faut postuler au départ la présence indépassable de deux grandes forces opposées, d'emblée à l'œuvre à l'intérieur. Il n'en est que plus frappant de

constater que cette postulation métaphysique n'empêche pas Freud de commencer son développement sur le *masochisme érogène* par un rappel des thèses premières concernant l'apparition de l'excitation sexuelle :

« Dans les « Trois essais sur la théorie de la sexualité », au chapitre concernant les sources de la sexualité infantile, j'ai affirmé que l'excitation sexuelle apparaît comme action marginale dans toute une série de processus internes, dès que l'intensité de ces processus a dépassé certaines limites quantitatives. Il ne se passe peut-être même rien d'important dans l'organisme qui ne fournisse sa composante à l'excitation de la pulsion sexuelle. Dès lors l'excitation de la douleur et du déplaisir aurait nécessairement la même conséquence... » (1). C'est cette « co-excitation libidinale » qui fournirait le fondement physiologique du masochisme érogène.

On reconnaît, dans la notion de *co-excitation (Miterregung)*, la réplique exacte de « l'action marginale » ou du « gain marginal » par lequel, très tôt, Freud définit le « plaisir d'organe » par rapport au plaisir fonctionnel sur lequel il prend appui. Sans doute cette explication est-elle considérée comme « insuffisante » et Freud s'en réfère-t-il aussitôt à la grande lutte ontologique de la destruction et de la libido. Pourtant, s'il est exact que « nous n'avons jamais affaire aux pulsions de mort ou aux pulsions de vie à l'état pur, mais toujours à divers mélanges de ces pulsions ... » (2), c'est bien un de ces alliages, le « masochisme érogène originaire », qui est pour nous premier, et ce masochisme érogène prend naissance par le phénomène de la « co-excitation » :

« Une autre partie [de la pulsion de mort ou de destruction] n'est pas déversée à l'extérieur, elle demeure dans l'organisme où elle est *liée libidinalement par la co-excitation*

---

(1) Freud (S.), 1924, *le Problème économique du masochisme* G.W., XIII, p. 375. Trad. fr., in : Revue française de psychanalyse, 1928, II, n°2.p. 215-216.
(2) *Ibid.*, G.W., XIII, p. 376. Trad. fr., p. 217.

sexuelle ; c'est en cette dernière partie qu'il faut reconnaître le masochisme originaire érogène (1). »

Sans doute la notion féconde d'étayage se trouve-t-elle peu à peu remplacée par l'opposition plus abstraite et plus mécanique de l'union et de la désunion (*Michung — Entmischung*) ou par le lieu commun un peu trop commode de l' « érotisation ». L'essentiel, cependant, c'est que sa place reste marquée au même point du destin pulsionnel : au temps où l'auto-agression se transforme, sur place, en masochisme réfléchi.

Nous aurons bientôt à nous interroger sur la thèse qui veut que cette auto-agression, pour sa part, soit une donnée primaire et non pas le résultat d'un retournement. Mais nous suivons actuellement une autre ligne de pensée, plus proche des premières intuitions freudiennes concernant la sexualité. Ces intuitions posaient l'auto-érotisme comme un temps second, succédant à un retournement ou à un rebroussement d'une activité d'auto-conservation d'abord tournée vers l'extérieur. Or, si la genèse du masochisme réfléchi doit se comprendre par un retournement, sur soi, encore convient-il de s'interroger sur ce retournement, car il nous est proposé en deux sens différents : tout d'abord, l'auto-agression peut être conçue comme un processus réel, voire physiologique : se dominer, se vaincre soi-même. Freud propose une indication en cette direction en évoquant, dans « Pulsions et destins des pulsions », la virtualité d'un temps réfléchi d'où sortiraient à la fois le sadisme et le masochisme passif : « ... Il ne serait pas, à proprement parler, absurde de construire [un tel stade préliminaire] à partir des efforts de l'enfant voulant se rendre maître de ses propres membres (2). »

---

(1) *Ibid.*, G.W., XIII, p. 376. Trad. fr., p. 216. Mots soulignés par J. Laplanche,
(2) Freud (S.), 1915 *Pulsions et destins des pulsions*, G.W., X, p. 223. Trad. fr., p. 26.

L'autre sens possible de ce retournement serait en apparence bien différent, puisqu'il s'agirait d'une intériorisation de l'ensemble de l'action sur le plan psychique, processus d'un tout autre ordre qu'une activité réelle, au niveau musculaire par exemple, puisqu'ici est impliquée une fantasmatisation. Pourtant, dans la description générale de l'auto-érotisme, se rencontraient déjà simultanément ces deux types d'intériorisation : le repli sur la zone érogène et le rebroussement dans le fantasme. Apparemment, ces deux modalités ne semblent pas réductibles l'une à l'autre : l'une serait descriptible en purs termes de comportement, ou même de physiologie, l'autre implique la dimension de l' « intériorité ». *Introjecter l'objet souffrant, fantasmer l'objet souffrant, faire souffrir en soi l'objet, se faire souffrir soi-même :* voilà quatre formulations bien différentes, mais dont notre pratique montre que constamment le sujet passe de l'une à l'autre. Un auteur comme Melanie Klein assume, à juste titre, l'apparente absurdité de ces équivalences et de ce passage : mode de pensée qui veut adhérer au plus près à l'expérience psychanalytique — sans y introduire une logique du tiers-exclu — et pose l'identité de l'objet intériorisé et du fantasme d'objet. (1) Dès lors nous voilà contraint d'admettre que le fantasme, introjection de l'objet, est ébranlement et, par essence, (que son « contenu » soit agréable ou désagréable), générateur d'excitation auto-érotique (2). De même, comme effraction, le fantasme

---

(1) Il y a un réalisme absolu du processus de pensée, la pensée est dans le corps, dans la tête, c'est un objet interne... C'est dire qu'en un certain sens il n'y a pas de « psychologie scientifique » fondée sur la psychanalyse.

(2) « Le rêve *est* accomplissement de désir », « l'hallucination *est* satisfaction » : ces thèses, essentielles au freudisme, défient apparemment tout constat d'expérience. Freud d'ailleurs, ne se défend pas sans difficulté contre l'objection qui reconnaît certes que le rêve exprime une intention, un sens, mais refuse que ce sens soit uniformément celui d'un désir... Pourquoi pas en effet, aussi bien, l'espoir, la crainte, la résignation, le regret, etc. Pour justifier l'*a priori* freudien — au-delà d'une vérification toujours sujette à caution — il faut admettre que le fantasme *est* ébranlement sexuel.

est la première douleur psychique (1) il est donc lié de très près, en son point d'origine, à l'apparition de la pulsion sexuelle masochique.

Nous voudrions, pour illustrer ce mouvement de « rebroussement dans le fantasme », évoquer l'analyse faite par Freud, dans « On bat un enfant » (1919) de la genèse d'un fantasme sado-masochique. Il s'agit là d'une véritable confirmation clinique de « Pulsions et destins des pulsions », puisque nous y suivons le destin d'une pulsion à travers la dialectique qui fait s'enchaîner les avatars successifs de la représentation ou du fantasme auquel cette pulsion est liée. Destin de la pulsion, ou peut-être même sa genèse, si l'on accepte cette distinction que nous proposions plus haut.

Rappelons les trois temps de l'évolution du fantasme de fustigation, tels que Freud les décrit chez des femmes et plus précisément des femmes névrotiques (obsessionnelles pour la plupart).

1. Mon père bat l'enfant que je hais ;
2. Mon père me bat ;
3. On bat un enfant.

Le troisième temps correspond à un symptôme, avoué, non sans difficulté, au cours de l'analyse. Pour la commodité de l'exposé, il peut lui-même être décomposé en ces deux aspects : d'une part son accompagnement du point de vue de « l'affect » et de « la décharge », et d'autre part son contenu représentatif. Excitation sexuelle intense, aboutissant presque toujours à la satisfaction masturbatoire — violent sentiment de culpabilité apparemment lié à la masturbation mais, plus profondément aux représentations en cause, telles sont les deux manifestations qui accompagnent régulièrement l'évocation de ce fantasme. Quant

---

(1) Nous parlons de « première douleur » comme Freud dans l'*Entwurf*, parle de la « première fallace hystérique ». Les deux modèles sont étroitement connexes.

à la « représentation fantasmatique » elle-même, il s'agit d'une scène imaginée selon un scénario relativement fixe, ce qui n'empêche que, en même temps, chacun des trois termes (batteur — battu — action) soit relativement indéterminé ou variable, emprunté qu'il est à une série indéfinie de paradigmes possibles. Comme pour tout fantasme, insistons y, il s'agit bien d'une représentation imaginée, notamment dans la dimension visuelle. La phrase « on bat un enfant » est la façon dont cette représentation est transposée par le sujet dans le discours de la cure, et par Freud lui-même dans son exposé. Cependant, cette transcription dans le langage des mots a le mérite de faire surgir en clair la grammaire du fantasme lui-même, et, dans la suite, c'est essentiellement sur les modifications successives de l'énoncé du fantasme (de même que dans « Pulsions et destins des pulsions »), que s'appuiera l'aanlyse de Freud.

« On bat un enfant », l'indétermination volontaire de cette proposition traduit la neutralité que le patient veut conserver quant aux éléments de la scène : « La personne elle-même ne figure pas dans ce fantasme. Insiste-t-on, elle concède : « j'assiste probablement à la scène » (1). Notons d'ailleurs que la traduction française « on bat un enfant » inverse déjà la position des termes sujet et objet par rapport à la formule allemande « *Ein Kind wird geschlagen* » (un enfant est battu). Ceci, non pour relever une inexactitude de traduction, mais au contraire pour indiquer qu'à ce stade du fantasme, il y a indétermination ou en tout cas réversibilité entre la formulation active et la formulation passive :

on battre enfant = enfant être battu par on

On pense ici nécessairement à l'équation énoncée par

---

(1) FREUD (S.), *On bat un enfant*, G. W., XII, p. 205. Trad. fr., in R. F. P., 1933, tome VI, n° 3-4, p. 280.

Freud pour traduire ce qu'il nomme stade réfléchi du fantasme scoptophilique (1).

La suite des trois formulations rappelées ici est présentée par Freud comme une séquence chronologique. Les deux premiers temps, à la différence du troisième, doivent être retrouvés au cours du travail analytique. Mais ici une différence nouvelle et fondamentale apparaît, entre les temps 1 et 2 : le temps 1 peut être remémoré au cours de l'analyse ; le temps 2, au contraire, doit être reconstruit :

« Cette seconde phase est la plus importante et la plus lourde de conséquences de toutes. Mais on peut dire en un certain sens qu'elle n'a jamais eu une existence réelle. En aucun cas elle n'est remémorée, elle ne parvient jamais à la conscience. C'est une construction de l'analyse, ce qui n'implique pas qu'elle en soit moins nécessaire » (2).

C'est précisément sur la différence de nature entre les stades 1 et 2 et sur le passage de l'un à l'autre que nous insisterons, afin d'y faire apparaître clairement le processus du rebroussement dans l'auto-érotisme :

Le temps 1 correspond à une ou plusieurs scènes réelles, au cours desquelles l'enfant a pu voir effectivement son père maltraiter un petit frère ou une petite sœur : « On peut hésiter à appeler déjà « fantasme » ce premier état de ce qui sera plus tard le fantasme de fustigation. A ce stade, peut-être s'agit-il plutôt de souvenirs, souvenirs de spectacles analogues auxquels on a assisté et souvenirs de désirs surgis à propos d'événements divers... (3) » A l'opposé, le stade 2 est purement fantasmatique, il est le premier temps du fantasme proprement dit, ce que Freud souligne en désignant comme « fantasme originel » (*ursprüngliche Phantasie*), le scénario : mon père me bat (4).

---

(1) Cf. plus haut, p. 158.
(2) G. W., XII, p. 204. Trad. fr., p. 280.
(3) *Ibid.*, G. W., XII, p. 204. Trad. fr., pp. 279-280.
(4) *Ibid.*, G. W., XII, p. 223. Trad. fr., p. 295.

Le temps 1 est consciemment mémorisé, retrouvé par un effort d'investigation accompli en commun par Freud et sa patiente. On peut à vrai dire douter qu'il ait véritablement été refoulé. A l'opposé, le stade 2 est profondément enfoui dans l'inconscient, et généralement inaccessible.

Enfin le premier temps est à peine sexuel ou plutôt, pour reprendre un terme déjà utilisé dans le cadre de la « théorie de la séduction », il est « sexuel-présexuel ». Si l'on accepte une distinction terminologique que nous avons soutenue plus haut, il est à signification agressive, et non, à proprement parler, sadique : « Il est par conséquent douteux que l'on doive le dire purement sexuel : on n'ose pas non plus l'appeler sadique... Aussi la réponse que nous cherchons est-elle peut-être semblable à la prédiction faite par les trois sorcières à Banquo : le fantasme n'est ni sexuel de façon certaine, ni même sadique, mais fait d'une substance d'où le sexuel et le sadique pourront ultérieurement sortir. Il n'y a en tout état de cause nulle raison de croire que cette première phase serve déjà à une excitation qui, au moyen des organes génitaux, apprenne à se liquider en un acte masturbatoire (1) » Au contraire, le fantasme inconscient « mon père me bat » est masochiste au sens propre : il exprime, sous forme « régressive » le fantasme d'un plaisir sexuel obtenu du père. La présence de l'excitation sexuelle lors de la phase 2 est attestée pour Freud par le fait que certains patients « croient se rappeler que l'onanisme s'est manifesté chez eux plus tôt que le fantasme de fustigation de la troisième phase », ce qui... « ... incite à admettre que l'onanisme s'était d'abord produit sous l'empire de fantasmes inconscients qui furent plus tard remplacés par des fantasmes conscients » (2).

---

(1) *Ibid.*, G. W.,, XII, pp. 207-207. Trad. fr., p. 282.
(2) *Ibid.*, G. W., XII., p. 210. Trad. fr., p. 285.

On voit que c'est dans le passage au stade 2 qu'apparaissent, en un seul mouvement, le *fantasme*, *l'inconscient* et *la sexualité* sous la forme de l'*excitation masochique*. De plus, dans le *contenu* fantasmatique, le passage de la phase 1 à la phase 2 comportant un « retournement contre la personne propre », nous voici encouragé à rappeler le schéma de la *genèse* de la pulsion sado-masochiste :

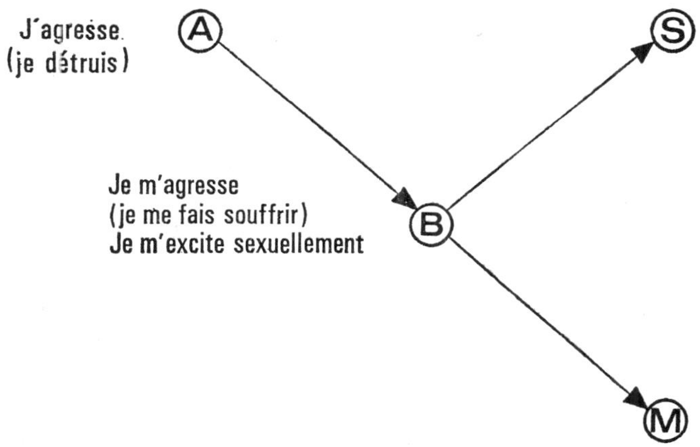

puis à y inscrire les énoncés freudiens :

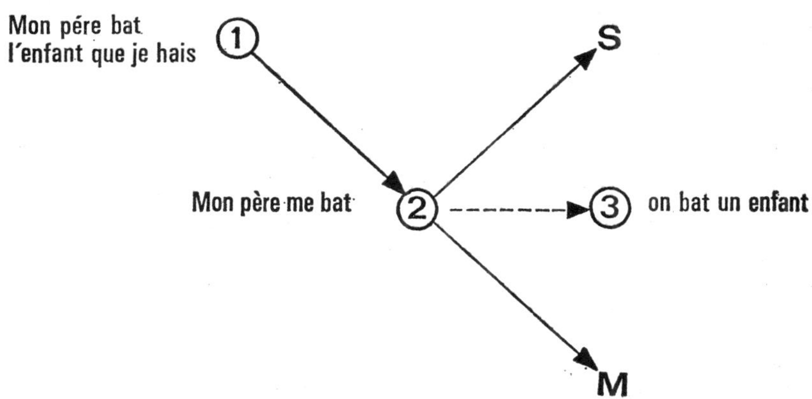

Assurément, l'application du modèle général au cas du fantasme de fustigation ne saurait être purement mécanique. Il reste des discordances, des variances ; mais celles-ci, loin d'être totalement irréductibles, s'avèrent fécondes pour la réflexion :

1° Au stade A, qualifié comme hétéro-agressif, c'était *ego* (l'individu en question) qui était le sujet de l'action. Dans « On bat un enfant », en 1, c'est « mon père » qui bat...

Cette différence ne nous semble pas essentielle. Ego veut détruire le gêneur, ce qui fait obstacle à son « autoconservation », et peu importe, à ce strict niveau, qu'il le fasse directement ou par personne interposée. Il existe, entre le père et ego, une sorte de transitivisme implicite, à distinguer d'ailleurs soigneusement d'une introjection fantasmatique. L'important, c'est que l'essentiel de l'action se situe sur le plan des intérêts vitaux ou « égoïstes » : « Ce fantasme [dans sa première phase] satisfait manifestement la jalousie de l'enfant et dépend de sa vie amoureuse, mais il est soutenu aussi, et fortement, par ses intérêts égoïstes » (1).

2° Mais nous nous avançons dans le paradoxe en insistant sur l'aspect agressif, non sexuel, du premier temps ; ce qui est considéré comme pré-sexuel, lié à l'auto-conservation et aux tendances « égoïstes », c'est... ce que Freud désigne ouvertement comme le complexe parental ou complexe d'Œdipe ! Dans une interprétation purement chronologique, on aboutirait à cette absurdité : loin que l'Œdipe naisse de la sexualité, ce serait la sexualité qui naîtrait de l'Œdipe, lui-même supposé se dérouler sur un plan d'abord pré-sexuel, le plan de l'autoconservation, ou de la « tendresse ». La notion de régression au stade sadique-anal, invoquée dans ce texte par Freud pour rendre compte de la sexualisation, ne ferait que renforcer l'absurdité si on s'en tenait à une chronologie purement linéaire : l'Œdipe non-

____

(1) *Ibid.*, G. W., XII, p. 206. Trad. fr., pp. 281-282.

sexuel prendrait son sens sexuel par régression à un stade antérieur... de la libido.

Une discussion approfondie de cette question nécessiterait une mise en place, fort complexe, des différents modes de temporalité auxquels nous avons affaire en psychanalyse, et dépasserait le cadre de notre développement. Ce qui nous importe, dans le présent paradoxe, c'est de souligner que la « séquence » dite de l'*étayage* fonctionne selon une temporalité impossible à superposer à d'autres (celle des stades de la sexualité ou celle de la structuration objectale ou de l'Œdipe) ; la sexualité néo-formée semble pouvoir prendre comme point de départ *n'importe quoi* : bien sûr les fonctions vitales, mais aussi, à la limite, la relation « œdipienne » elle-même dans son ensemble, prise comme relation naturelle ayant une fonction de préservation et de survie.

Ce qui d'ailleurs, confirme cette interprétation, c'est que l'Œdipe est abordé ici par Freud de façon oblique, sous un biais particulier : du point de vue pulsionnel, ce qui est mis au premier plan, ce n'est pas la relation érotique mais la relation de « tendresse » ; mais surtout, dans la structure, le triangle en cause n'est pas le triangle œdipien : ego (petite fille) — père — mère, mais le triangle rivalitaire désigné, en d'autres occurrences, comme « complexe fraternel » : ego — parents — frère ou sœur (1).

3º Cet exemple clinique fournit à Freud l'occasion d'examiner le problème du refoulement sous divers aspects : rapports du refoulement et de la régression, relation du refoulement à la position sexuelle, masculine ou féminine... Nous ajouterons seulement une remarque destinée à expliciter quel est l'*objet* sur lequel porte le refoulement : c'est essentiellement sur la deuxième phase, soit sur le fantasme à son origine. Couramment, cependant, on parle de souve-

---

(1) Nous ne voulons évidemment pas dire que ce triangle rivalitaire soit « antérieur » chronologiquement au triangle « sexuel » de l'Œdipe.

nirs d'enfance refoulés, non sans vraisemblance clinique. En fait, *ce qui est refoulé n'est pas le souvenir, mais le fantasme qui en dérive ou le sous-tend* : ici le fantasme d'être battu par le père et non la scène réelle où le père aurait battu un autre enfant. Cependant, il est évident que le refoulement du fantasme peut entraîner avec lui dans l'inconscient le souvenir lui-même, souvenir qui, après-coup, prend sa signification sexuelle : « Mon père bat un autre enfant — il m'aime (sexuellement). » De même que l'objet à retrouver n'est pas l'objet perdu, mais sa métonymie, de même la « scène » à retrouver n'est pas celle du souvenir mais celle du fantasme sexuel qui en dérive.

4° Enfin nous avons situé, à la place de ce que nous nommions masochisme réfléchi, ou voix moyenne, un fantasme qui, cependant, a un contenu proprement masochiste au sens « passif » : mon père me bat. C'est que, nous l'avons déjà souligné, le processus de retournement n'est pas à concevoir seulement au niveau du contenu du fantasme, mais *dans le mouvement même de la fantasmatisation*. Passer au réfléchi, ce n'est pas seulement ni même nécessairement donner un contenu réfléchi à la « phrase » du fantasme, c'est aussi et surtout réfléchir l'action, l'intérioriser, la faire entrer en soi-même comme fantasme. Fantasmer l'agression c'est la retourner en soi, s'agresser : temps de l'auto-érotisme où se confirme la liaison indissoluble du fantasme comme tel, de la sexualité et de l'inconscient.

Si l'on pousse cette idée jusqu'à son terme nécessaire, on est amené à souligner le caractère privilégié du masochisme dans la constitution de la sexualité humaine. L'analyse, dans son contenu même, de ce fantasme essentiel qu'est la « scène originaire » ou « scène primitive » l'illustrerait également : l'enfant, impuissant dans son berceau, c'est Ulysse lié au poteau ou Tantale, auquel on impose et on intromet le spectacle du coït parental. A cet ébranlement de la douleur répond la « co-excitation » qui ne peut

se traduire, régressivement, que par l'émission d'une selle :
la position passive de l'enfant par rapport à l'adulte n'est
pas seulement passivité dans la relation réelle à l'activité
adulte, mais passivité par rapport au fantasme de l'adulte
qui fait intrusion en lui (1).

---

(1) Où situer la troisième étape du fantasme : « On bat un enfant »? FREUD
hésite à la désigner soit comme sadique soit comme masochique, pour finalement conclure que « la forme seule de ce fantasme est sadique, la satisfaction
qui en est tirée est masochique ». G. W., XII, p. 211. Trad. fr., p. 285.
Un tel débat nous semble un peu formel, dans la mesure où nous maintenons,
avec FREUD, « ...les relations régulières et intimes entre le masochisme et sa
contre-partie dans la vie pulsionnelle, le sadisme ». (G. W., XIII. le Problème
économique du masochisme, p. 376.) Une telle complémentarité, qui autorise
à maintenir le concept de « sado-masochisme », n'a évidemment rien à voir
avec une complémentarité réelle entre les *perversions* sadique et masochique,
ni avec la possibilité d'un passage réel, par retournement par exemple, de l'une
à l'autre. La perversion suppose toujours la fixation de *ego* en un des points
ou des pôles de l'agencement fantasmatique. Le schéma que nous avons extrait
de « Pulsions et destins des pulsions » montre, dans sa simplicité, que l'on ne
saurait passer directement de la position « S » à la position « M », bien que toutes
deux se conçoivent à partir d'un « fantasme originaire » commun.
Dès lors, le fantasme conscient « on bat un enfant » ne saurait être dit ni
sadique ni masochique *au sens de la perversion*. Fantasme sado-masochique,
il fait partie du « masochisme réfléchi » qui peut aussi bien être dit « sadisme
réfléchi ». Le masochisme « réfléchi » est considéré par FREUD dans « Pulsions et
destins des pulsions » comme caractéristique de la *névrose* obsessionnelle, et ce
n'est pas un hasard si les patientes auxquelles FREUD se réfère dans « On bat un
enfant » présentent une symptomatologie à prédominance obsessionnelle. Ainsi,
« *Ein Kind wird geschlagen* » = « on bat un enfant » est un rejeton conscient,
neutralisé, névrotique, du fantasme réfléchi originaire.

VI

POURQUOI LA PULSION DE MORT?

Si le contenu de l'article « Le problème économique du masochisme » ne risque pas de décevoir le lecteur, son titre suscite une attente qui n'est que très partiellement comblée. L'essentiel du texte est consacré à des développements et des mises au point passionnantes : la description et l'analyse des différentes formes cliniques sous lesquelles le masochisme se présente dans l'expérience analytique. Mais seules les premières pages du texte sont consacrées aux difficultés et contradictions inhérentes à la notion même de masochisme. De plus, la « solution » qui est proposée ne fait guère appel qu'à une clarification notionnelle, qui s'appuie sur la distinction de la pulsion de vie et de la pulsion de mort et leur fait correspondre des principes de fonctionnement différents : principe de plaisir et principe de Nirvana... Ainsi le « problème économique », voire le paradoxe essentiel du masochisme a été rapidement évacué, renvoyé au niveau de l'opposition principielle d' « amour » et de « discorde », cette lutte titanesque dont l'expérience ne nous présente que les rejetons amortis et toujours ambigus, puisque nous ne sommes jamais en présence que de « mixtes ».

Il n'est même pas certain que l'introduction de la « pulsion de mort », au lieu d'éclaircir les difficultés du masochisme, ne vienne pas au contraire les redoubler. Si bien que, parmi les nombreux paradoxes soulevés par le masochisme, il en est deux qui se présentent comme fondamentaux : l'un semble inhérent à la notion même ; l'autre est soulevé par l'articulation du masochisme avec la pulsion de mort.

Le paradoxe du masochisme.

Si l'on accepte la définition : « plaisir du déplaisir », le *paradoxe inhérent au masochisme* tient dans la contradiction même de ces termes. A partir de là, les solutions — échappatoires du raisonnement ou échappatoires du sujet lui-même ? — ne se conçoivent que par l'introduction d'une différence de champ entre les termes de l'équation, ou par quelque glissement notionnel de l'un ou l'autre de ces termes.

On peut tenter de s'en tirer en situant chacun des deux termes en un *lieu* différent de la topique intrasubjective, selon la formule bien connue, « ce qui est plaisir pour un système est déplaisir pour un autre ». On peut pousser la formulation plus loin en supposant par exemple que l'une des instances (le surmoi) trouve son plaisir *dans le fait même* d'infliger du déplaisir à l'autre instance (le moi). Cette théorie, tout naturellement, s'inscrit dans la ligne du sens commun selon lequel le plaisir du sadisme n'aurait pas besoin d'une explication particulière mais serait pleinement « compréhensible ». Si, dans le scénario sadique, le plaisir est dans le sujet et le déplaisir chez l'objet, l'introjection de ce dernier et son intégration à une instance de la personnalité (le moi) aboutirait à une *intériorisation de l'ensemble de la scène*, rendant compte à peu de frais du paradoxe du masochisme : le masochiste ne jouirait que par son identification fantasmatique au pôle actif de la scène. Cette « solution », qui semble aller de soi à partir du moment où l'on admet que tout individu est divisé en lui-même et contre lui-même, n'a cependant jamais été proposée par Freud, qui a toujours considéré comme plus *énigmatique* et nécessitant une explication plus complexe *le plaisir de faire souffrir que le plaisir de souffrir* : c'est dire que le « plaisir du surmoi », invoqué ici, ne saurait être un axiome indiscutable et irréductible. Mais surtout, est-il besoin de rappeler que la coexistence, chez le même individu, d'un plaisir et d'un déplaisir liés l'un à l'autre mais assignables à deux « lieux » différents, est une des découvertes les plus générales de la psychanalyse. Chez n'importe quel sujet en analyse, « psychosomatique », « névrosé », « homme sans qualité », nous rencontrons évidemment une souffrance, et le mouvement de la cure est de montrer comment cette souffrance est provoquée par l'individu lui-même, au nom d'une certaine recherche d'un plaisir en un autre lieu. Caractériser une telle conjonction, chez tout un chacun, comme masochisme ou masochisme moral, c'est en arriver à diluer la notion même de masochisme et peut-être lui ôter toute signification. Non pas qu'il n'existe, chez tout être humain, une potentialité masochiste prête à se réveiller et à renforcer une souffrance d'une quelconque origine. Mais il reste que le sujet n'est masochiste qu'en tant qu'il jouit *là où* il souffre, et non pas en tant qu'il qu'il souffre ici pour jouir là, en fonction d'une arithmétique ou algèbre des plaisirs. Ce qui peut encore se formuler ainsi : le sujet souffre *pour* jouir, et non pas seulement *pour pouvoir* jouir (pour s'acquitter de la taxe de jouissance).

Nous voilà donc amenés à chercher, au sein de cette égalité toujours aussi inquiétante : plaisir = déplaisir, un décalage qui serait introduit à la fois dans le domaine du plaisant et dans celui du déplaisant. Si nous désignons, pour la commodité, ces deux membres de l'équation comme pôle « + » et pôle « — » nous ne pouvons continuer à affirmer « + » = « — » que si ce « + » n'est pas tout à fait un « + », ni ce « — » tout à fait un « — ». Ou plutôt, le « — » n'est peut être pas tout à fait le négatif du positif qu'il a en face de lui.

Du côté « — » d'abord, la notion de souffrance, ou, plus intéressant encore, le phénomène de la *douleur* — comme effraction de la limite et comme afflux d'énergie « non liée » — vient se substituer à celle de déplaisir.

Du côté « + », également, des distinctions se proposent, qui ne sont pas facilitées par la terminologie établie et en particulier par le terme allemand de *Lust*, traduit traditionnellement par plaisir ou parfois par jouissance, mais qui recouvre aussi bien la signification de désir concupiscent. Introduisons encore la notion de *satisfaction* qui renvoie à l'apaisement lié à la réduction de tension et se situe donc entièrement dans le registre du « vital ». Dès lors, au pôle « + » le plaisir semble se diviser en deux directions : d'un côté la jouissance, au sens à la fois d'un plaisir effréné et en celui de la concupiscence, de l'autre la satisfaction qui se situe dans l'ordre de l'apaisement des tensions vitales. Dans cette opposition, le terme « plaisir » peut venir se placer, selon les auteurs et, chez le même Freud, selon les moments, soit à un pôle soit à l'autre de la même opposition fondamentale : soit qu'on le situe face à la satisfaction fonctionnelle (et dans ce cas il s'agit du plaisir pulsionnel, par exemple ce que Freud nomme « plaisir d'organe »), soit qu'on l'oppose à la « jouissance » (et dans ce cas le plaisir se situerait du côté de la constance et de l'homéostase) :

Satisfaction / plaisir ~ plaisir / jouissance (1).

Utilisons maintenant les résultats auxquels nous sommes

---

(1) Cette amphibologie du concept de plaisir ne saurait être entièrement réduite au moyen d'une convention terminologique. Elle est l'indice d'un processus de métaphorisation.

parvenus précisément par l'interprétation et la remise en place des thèses freudiennes :

1º Il convient de distinguer soigneusement deux niveaux : la série ou l'échelle quantitative : plaisir (fonctionnel) — déplaisir (fonctionnel) ; et le niveau de la concupiscence et / ou jouissance.

2º C'est à ce second niveau, concupiscence et / ou jouissance, que se situe la thèse du masochisme primaire. Elle peut être présentée en une formule du type :

« Concupiscence et / ou jouissance de la douleur. »

Elle est étroitement corrélative de la notion de fantasme comme corps étranger interne, et de la pulsion comme attaque interne, de sorte que le paradoxe du masochisme, loin de devoir être circonscrit à une « perversion » particulière, mériterait d'être généralisé, lié qu'il est à la *nature essentiellement traumatique de la sexualité humaine.*

3º Reste la question soulevée par cette formule : concupiscence et / ou jouissance, où les termes sont posés en une relation complexe à la fois conjonction et disjonction. Rappelons-nous certaines formules de Freud qui, avec leur allure approximative, indiquaient peut-être une direction féconde : « Le sujet jouit de l'excitation », écrivait Freud dans « Le problème économique du masochisme », posant peut-être là tout le problème de la pulsion sexuelle ; et déjà, dans les « Trois essais » en 1905, à propos des « sources » même de la pulsion sexuelle : « Nous userons des termes « excitation sexuelle » et « satisfaction » sans faire entre eux de différence, nous réservant de chercher à en préciser le sens plus tard. » (1) « Jouir de l'excitation », cette expression situe Freud dans une lignée qui le dépasse, celle qui affirme que « l'homme préfère la chasse à la prise ». Faut-il dire simplement que la chasse comporte *aussi* en elle le

____

(1) FREUD (S.) 1905, *Trois essais sur la théorie de la sexualité*, G. W., V, p. 102. Trad. fr., Paris, Gallimard, 1962, p. 100.

fantasme de la prise ? Mais cette formulation serait banale et insuffisante si l'on ne concevait que le fantasme n'est déjà plus le même, n'est pas simple reflet ou image de la prise, est *dérivé* de celle-ci par une série complexe de déplacements. Tel serait, en termes plus généraux, le rapport de la concupiscence à la « satisfaction ».

« Jouir de l'excitation » — « concupiscence et / ou jouissance », ces formules nous portent à nous interroger sur la valeur que conservent, au niveau de cette « mécanique » ou de cette « hydraulique » de *représentations* qui caractérise la sexualité humaine, des concepts économiques dérivés métaphoro-métonymiquement du registre de l'homéostase biologique. Le paradoxe redoublé qu'introduit la notion de pulsion de mort dans le problème du masochisme nous servira ici de guide.

Le paradoxe économique de la pulsion de mort.

« Au-delà du principe de plaisir » qui, en 1920, un an après « On bat un enfant », introduit la pulsion de mort, reste le texte le plus fascinant et le plus déroutant de toute l'œuvre freudienne. Jamais Freud ne s'est montré si libre et si hardi que dans cette grande fresque métapsychologique, métaphysique, et métabiologique. Des termes entièrement nouveaux apparaissent : Éros, pulsion de mort, compulsion de répétition... Des idées anciennes, apparemment oubliées, notamment celles du « Projet de psychologie scientifique », sont reprises et renouvelées. Plus que jamais, le problème du « biologisme » freudien nous presse ici de toutes parts : quelle est la fonction de ce recours aux sciences de la vie, qui se présente tantôt sous l'aspect d'une spéculation sans retenue, tantôt comme une référence à une expérimentation précise ? « Au-delà du principe de plaisir » ne pourra être, avec quelque vraisemblance, dialectiquement « dépassé », que lorsque le sens de ce biologisme sera élucidé. Enfin, en ce qui concerne les questions plus directement abordées dans nos deux derniers développements, nous trouvons là une nouvelle conjonction, originale et même inouïe, des différents modes de ce qui se désigne, d'une façon générale, comme le « négatif » : agression, destruction, sado-masochisme, haine...

Profondément déroutant, ce discours ne se subordonne que sporadiquement et superficiellement à des impératifs logiques : il s'agit d'une pensée libre, — au sens des libres associations — pensée « pour voir » qui implique retours, repentirs, démentis. Cette contre-partie, séduisante elle aussi, de la liberté de la démarche, peut décevoir celui qui ne s'identifie pas à celle-ci : les trous du raisonnement y sont autant de chausse-trapes, les glissements des concepts viennent brouiller les repères terminologiques, les discussions les plus approfondies sont soudain tranchées arbitrairement... A le prendre à contre-courant, on peut retirer de ce texte l'impression que toutes les questions y sont mal posées, que toutes sont à redresser.

Séduisante, *traumatisante*, l'introduction forcée de la pulsion de mort ne pouvait que susciter, chez les héritiers de Freud, toutes les variétés possibles de la défense : refus motivé chez les uns, acceptation purement scolastique de la notion et du dualisme Éros — Thanatos chez d'autres, acceptation sous une forme modifiée et coupée de ses bases philosophiques de la part d'un auteur comme Mélanie Klein, et, plus souvent encore, la prétérition ou l'oubli complet de la notion...

« Au-delà du principe de plaisir », en deux fresques ou en deux chants distincts, nous entraîne irrésistiblement vers son mythe : en un premier temps, les phénomènes les plus variés de la *répétition*, en ce qu'il ont d'irréductibles, sont portés au compte de l'*essence de la pulsion*. En un second mouvement, cette tendance de l'individu humain à reproduire ses états et ses objets premiers est rattachée à une force universelle, dépassant largement le champ psychologique et même le champ vital, force cosmique qui veut irrésistiblement ramener, régressivement, le plus organisé au moins organisé, les différences de niveau à l'égalisation, le vital à l'inanimé (1). Il s'agit donc de saisir ce qu'il y a de plus « pulsionnel » dans la pulsion — précisément l'ataraxie, le Nirvana comme abolition de toute pulsion —, ce qu'il y a de plus vital dans le biologique — la mort explicitement désignée comme « but final » de la vie. Tout être vivant aspire à la mort en raison de sa tendance *interne* la plus fondamentale, et la diversité de la vie, telle que nous l'observons dans ses formes multiples, ne fait jamais que reproduire une série d'avatars fixés au cours de l'évolution, détours adventices provoqués par tel ou tel traumatisme, tel ou tel obstacle supplémentaire : l'organisme ne veut pas seulement mourir, mais « mourir à sa manière ».

En opposition à cet « universel » de la mort, dont il est pourtant bien difficile de concevoir ce qui pourrait venir le limiter, force est pourtant de poser un autre principe, *la pulsion de vie* ou *Éros*, tendance qui recueille, malgré certaines dénégations de Freud, une partie de l'espérance portée par l'idéologie évolutionniste ou progressiste : Éros rassemble, Éros tend à former des unités sans cesse plus riches et plus complexes, d'abord au plan biologique, puis au plan psychologique et social ; à l'inverse, enfin, du principe d'entropie énergétique — qu'on a pu non sans vraisemblance rapprocher de la pulsion de mort — Éros tend à maintenir et à élever le niveau énergétique des configurations dont il forme le lien intime.

---

(1) A vrai dire nous n'imaginons guère, avec les découvertes de la physique, que la matière dite « brute » représente nécessairement l'état le moins organisé, et encore moins qu'elle corresponde au nivellement énergétique — toutes différences de potentiel réduites ou abolies — dont FREUD veut nous suggérer l'idée.

Tout comme Thanatos, cependant, Éros est une force *interne*, inhérente à l'individu : atome, cellule, individu vivant ou psychisme. C'est à l'intérieur de cette monade que se déroule d'abord la dialectique, ou plutôt la lutte acharnée des deux forces primordiales ; c'est secondairement qu'une partie de la destructivité originaire est détournée vers le monde extérieur, donnant naissance à cette manifestation que nous repérons dans les phénomènes : l'agressivité. Ainsi, pour en revenir à la question déjà débattue dans « Pulsions et destins des pulsions », ici est affirmée la primauté de l'auto-agression sur l'hétéro-agression, cette auto-agression n'étant à son tour que la conséquence de la primauté absolue, dans l'individu, de la tendance au zéro considérée comme la forme la plus radicale du principe de plaisir.

Mais ce qui est posé là comme primaire à l'intérieur de l'individu rassemble, sous une même bannière, des tendances difficilement conciliables : réduction des tensions à zéro (Nirvana), tendance vers la mort, auto-agressivité, recherche de la souffrance ou du déplaisir. D'un point de vue économique, la contradiction majeure consiste à rapporter à une seule et même « pulsion » la tendance à l'abolition radicale de toute tension, forme suprême du principe de plaisir, et la recherche masochiste du déplaisir qui ne peut, en toute logique, s'interpréter que comme augmentation de tension.

Avec l'acuité analytique, l'originalité des notations cliniques et le sens dialectique qui le caractérisent, Daniel Lagache (1) s'interroge sur la « situation de l'agressivité ». Un court texte, référence importante pour se repérer dans la pensée personnelle de l'auteur, mais aussi pour démêler les différents sens intriqués dans cette notion d'agressivité.

----

(1) Lagache (D.), Situation de l'agressivité, in : *Bulletin de Psychologie*, 1961, pp. 99-112.

Le concept de pulsion de mort est considéré là « comme l'unité formelle de plusieurs idées connexes mais non identiques ». Au sein de cette espèce de monstre (au sens où l'on désigne ainsi les êtres créés par la fantaisie humaine, chimères ou dragons composés des membres et parties du corps les plus hétérogènes) Lagache dénombre différentes idées, aux fins de les critiquer une à une, d'en proposer une interprétation plausible, de tenter enfin de les resituer en un autre lieu de la théorie ou de l'expérience. Il examine ainsi :

1º La tendance au passage de l'organique à l'inorganique, où il décèle ce qu'il y a de plus spéculatif et de plus spécieux dans l'argumentation de Freud. C'est à un niveau purement descriptif, dans la clinique psychanalytique, qu'il lui trouve une application possible : pour désigner une sorte de réification du sujet — ailleurs dénommée viscosité ou inertie psychique — dans laquelle la routine et la sclérose se sont substituées durablement ou même définitivement au renouvellement et à la création.

2º La tendance à la « réduction des tensions » : notion que Daniel Lagache accepte, à condition de ne pas la pousser à l'absurde, soit dans son extrême, la réduction de *toute tension*. Ainsi limitée, elle constitue, dans la problématique propre à l'auteur, un des pôles de l'activité humaine, face à la tendance à « la réalisation des possibilités » : deux principes de la vie psychique qui vont alternant, se combinant en compromis plus ou moins harmonieux, s'opposant l'un à l'autre selon le type de conflit et selon la période de la vie. Entre ces deux principes la psychanalyse ne saurait opter.

3º Le masochisme primaire enfin. Notion pour laquelle Lagache cherche d'abord des illustrations ou des équivalences psycho-physiologiques, mais qu'il interprète, finalement, comme l'état initial de l'enfant, dépendant absolument de l'autre pour sa satisfaction. Le « masochisme primaire » s'insérerait là dans la « position narcissique masochique », position où la notion de masochisme est assimilée *a priori* par l'auteur à celles de passivité et de dépendance.

Critiquer, au sens étymologique du terme, c'est choisir, redistribuer les cartes, « ventiler » ce qui a été mêlé. En ce sens, la critique de Lagache est l'une des plus poussées et des plus pertinentes de celles qui aient été appliquées au champ de l'agressivité. Pourtant, une telle conception de la critique et de l'analyse notionnelle est, à notre avis, incomplète, si l'on veut aborder *en « psycho-analyste »* un concept posé par le fondateur même de l'analyse. Bien sûr, avec la pulsion de mort, il y a eu maldonne, les jeux ont été mal faits. Suffit-il, pour autant, de les reprendre et d'opérer une répartition plus correcte ? Nous pensons qu'on ne peut se contenter de redistribuer les cartes, sans d'abord essayer d'interpréter la « donne » précédente. Analyser, interpréter, nous avons tenté de proposer quelques linéaments de ce que pourrait être une entreprise de ce genre, entreprise qui n'est pas celle d'une « pathographie » — interprétation du désir individuel de quelqu'un (Freud en l'occurrence) par référence aux traces biographiques qu'il a laissées — mais une interprétation de ce qui, dans une œuvre, se laisse entrevoir de l'inconscient, tout en étant déjà au niveau de la pensée discursive : une exigence théorique, rejeton réfracté du désir (1). Exigence ? Nous reprendrions volontiers un autre terme freudien, celui de *Zwang :* compulsion, contrainte, force démoniaque dont un des exemples les plus frappants est le « *Zwang* » de la parole oraculaire fixant irrévocablement le destin d'Œdipe (2)...

Des grandes compulsions de la pensée qui font résurgence périodiquement dans la création freudienne, la pulsion de

---

(1) Cf : Laplanche (J.), « *Interpréter [avec] FREUD* ». In : *L'Arc*, n° 34, 1968, pp. 37-46.
(2) Freud (S.) 1938, *Abrégé de Psychanalyse*, Gw., XVII. Tr. fr. Paris, P. U. F., 1950.

mort est le rejeton le plus éclatant et peut-être celui qui les rassemble toutes. Comment ne pas noter, après Jones, les traits manifestes de ce *Zwang*? En 1920 apparaît un texte écrit dans l'inspiration qui s'inscrit dans la série discontinue et syncopée d'autres écrits, produits de la même sorte d'état second : depuis le « Projet de psychologie scientifique » jusqu'à « Pour introduire le narcissisme ». Ici prend origine un développement absolument *nouveau*, situé en dehors de toutes les trajectoires prévisibles : hors de la continuité des écrits métapsychologiques de 1915 et de leur système qui semblait bien près de se reformer ; en divergence aussi par rapport à la remise en question proposée avec le « narcissisme », puisqu'il ne s'agit pas tant de consolider celui-ci que de le briser. Une hypothèse vient remettre tout en question. Hypothèse ? elle est présentée sans retenue, avec des arguments de tout ordre, fréquemment empruntés à des domaines extérieurs à la clinique psychanalytique, appelant à la rescousse biologie, philosophie, mythologie. Voilà une argumentation qui progresse par rupture, suivant avec obstination les détails d'un débat scientifique pour brusquement l'abandonner, comme un joueur malchanceux qui renverse brusquement la table : nous pensons ici à la fort longue discussion, très documentée, sur le problème de l'immortalité de la cellule vivante à la lumière des expériences sur les protistes, où brusquement, lorsqu'on a l'impression que l'examen des différentes thèses aboutirait à infirmer l'existence d'une tendance *interne* à la mort, Freud rompt le contact par un recours *ad hoc* à la métaphysique des entités :

« ... Il nous devient complètement indifférent de savoir si l'on peut prouver ou non que la mort chez les protozoaires est une mort naturelle... Les forces de pulsion qui tendent à mener la vie à la mort pourraient bien opérer aussi chez eux dès le début ; mais il serait très difficile de faire la preuve directe de leur présence, leurs effets étant masqués par les forces qui conservent la vie... Même si les protistes s'avèrent immortels au sens de *Weisman*, sa thèse qui fait de la mort une acquisition tardive ne vaut que pour les phénomènes manifestes de la mort et n'interdit aucune hypothèse relative aux processus qui poussent à la mort (1). »

Cette hypothèse est présentée sous le couvert d'une argumentation fort « libérale » : le droit pour chacun de mener un train de pensée aussi loin qu'il lui importe, la souveraine liberté de philosopher et de rêver.

... Bientôt, pourtant, le *Zwang* se manifeste, la rêverie métaphysique devient dogme aussi bien pour Freud que vis à vis de ses disciples :

« Au début j'ai présenté ces conceptions dans la seule intention de voir où elles menaient, mais dans le cours des années elles ont acquis une telle emprise sur moi que je ne puis plus penser autrement (2). »

Autre indice, inversé, du même *Zwang* : ce véritable dogme qui s'impose au niveau de la pensée systématique, n'a qu'un retentissement relativement faible dans l'ensemble de l'élaboration lorsque celle-ci se tient plus près de la clinique : le nouveau « dualisme » s'intègre mal dans la théorie du conflit, où subsistent les vieilles oppositions pulsionnelles tandis que la pulsion de mort n'est invoquée qu'en dernier recours et demeure généralement à l'arrière-plan :

---

(1) FREUD (S.), 1920, *Au-delà du principe de plaisir*, G. W., XIII, pp. 52-53. La discussion des expériences des biologistes sur la survie des organismes unicellulaires dans un milieu nutritif approprié aboutissait à la conclusion que ces organismes périssaient seulement si le milieu n'était pas périodiquement épuré des poisons produits par le métabolisme cellulaire. Freud y voit la preuve que « ...l'infusoire, laissé à lui-même, meurt d'une mort naturelle du fait d'une élimination imparfaite des produits de son propre métabolisme » (p. 52). Ainsi la cellule meurt par cause « interne » ...à condition qu'on la laisse au milieu de ses déjections, c'est-à-dire qu'on élargisse son organisme aux dimensions de son entourage. Nous voyons, dans ce type de raisonnement, le pendant métaphorique de l'idée d'intériorisation, dans le traumatisme, de la pulsion « inconciliable » et de l'élément de discorde qu'elle véhicule.

(2) FREUD (S.), 1930, *Malaise dans la civilisation*, G. W., XIV, p. 478-479.

« C'est la spéculation théorique qui nous fait soupçonner l'existence de deux pulsions fondamentales qui se cachent derrière les pulsions manifestes, pulsion du moi et pulsion d'objet » (1).

De même, lorsque dans « Inhibition, symptôme et angoisse » Freud réexamine la théorie des névroses, il n'intègre la pulsion de mort dans le conflit œdipien que sous la forme de la haine, sans lui faire de place en tant qu'auto-destruction. Alors même que les thèses de Rank sur le « traumatisme de la naissance », longuement discutées dans ce texte, pouvaient servir de point d'appel à l'idée d'une intériorisation primordiale de la destruction, l'hypothèse d'une angoisse de mort primaire est finalement écartée, l'absence de la mort au niveau inconscient réaffirmée (2).

Si Freud lui-même, nous autorisant par là à avancer le terme de *Zwang*, parle de l' « emprise » exercée sur lui par la notion de pulsion de mort, il ouvre ainsi la voie aux tentatives d'interprétation. Jones, pour sa part, biographe de Freud, esquisse une telle analyse, mais en une direction qu'on ne manquera pas de considérer comme réductrice. Nous rappellerons, à sa décharge, qu'il suit là certaines indications de Freud lui-même, concernant l'interprétation de l'œuvre philosophique :

« La psychanalyse peut montrer la motivation subjective et individuelle de doctrines philosophiques qui prétendument sont surgies d'un travail logique impartial, et indiquer à la critique les points faibles du système. Se soucier de cette critique même, ce n'est pas l'affaire de la psychanalyse car il s'entend que la détermination psychologique d'une

---

(1) Freud (S.), 1926, *Psychoanalysis*, G. W., XIV, p. 302.
(2) « Dans l'inconscient, il n'y a rien qui puisse donner un contenu à notre concept de destruction de la vie... C'est pourquoi je m'en tiens fermement à l'idée que l'angoisse de mort doit être conçue comme analogue de l'angoisse de castration. » Freud (S.), 1924, *Inhibition, symptôme et angoisse*, G. W., XIV, p. 160. Trad. fr., Paris, P. U. F., 1965, p. 53.

doctrine n'exclut nullement sa rectitude scientifique. » (1)

Ainsi Jones juxtapose les objections pièce à pièce concernant le « contenu » intellectuel de l'œuvre, et l'interprétation psychanalytique en fonction des éléments biographiques qu'il a en mains. Dichotomie déjà douteuse, mais où l'insuffisance s'aggrave quand on examine chacun des deux termes : sans doute la position personnelle de Freud par rapport à la mort — aussi bien celle de ses proches que la sienne propre — mérite qu'on porte attention aux moindres indices... mais la neutralité analytique, de règle pour une telle mise à plat du « matériel », ne se retrouve guère dans l'appréciation selon laquelle « songer à la mort tous les jours... est certes inhabituel » (2).

Cette naïveté ou ce parti-pris — qui à notre avis ne disqualifie nullement tout projet de psycho-biographie analytique — trouve son complément dans l'insuffisance de l'appréciation théorique. Sur ce terrain Jones *isole* véritablement deux « tournants » pour une même période : la révision de la conception de l'appareil psychique, aboutissant à la « seconde topique », et où l'auteur ne veut voir qu'un couronnement ou un perfectionnement heureux de l'œuvre, et l'introduction de la pulsion de mort, en discontinuité avec toute l'élaboration antérieure, où l'irruption d'une attitude émotionnelle trop longtemps refoulée n'aurait valeur que de symptôme. Finalement un certain esprit rationaliste, analytique peut-être, mais profondément anti-dialectique, n'aboutit qu'à isoler et fragmenter : séparer, quitte à les appuyer ensuite l'une sur l'autre, la critique de fond et l'interprétation psychologique ; cliver la théorie en de bonnes et en de mauvaises innovations sans imaginer qu'il puisse

------

(1) Freud (S.), 1913, *Das Interesse an der Psychoanalyse.* (L'intérêt de la psychanalyse), G. W., VIII, p. 407.

(2) Jones (E.,) *La vie et l'œuvre de Sigmund Freud*, tome III. Éd. fr. Paris, P. U. F., 1969, p. 319.

exister entre elles un lien structural ; négliger enfin de
rapporter la compulsion de la pulsion de mort à tout ce qui
la préfigure ou la prépare dans d'autres configurations de
l'œuvre.

Si notre projet est d'interpréter, au niveau de l'œuvre, le
Zwang, exigence qui amène ce tournant paradoxal, il nous
sera impossible d'étayer cette interprétation en suivant
le détail des textes, notamment « Au-delà du principe de
plaisir ». Force nous sera donc de présenter, avec un minimum de justifications, les éléments qui font ici retour, et
dont l'énergie vient propulser le concept de pulsion de mort.
Ils sont, à notre avis, au nombre de trois.

Le premier élément est ce que nous avons nommé la
priorité du temps « auto- » ou « *selbst* » : le temps réfléchi.
Ce primat, dans le champ psychanalytique, se traduit aussi
bien dans la théorie de l'auto-érotisme que dans le présup-
posé du narcissisme primaire, conçu comme cet état totalement refermé sur lui-même dont l'absurdité vient braver
aussi bien la réflexion théorique que les plus élémentaires
données de l'observation (1). Ajoutons simplement, à ce
propos, que, dans « Au-delà du principe de plaisir », la pulsion de vie ou Éros, force qui maintient l'unité et l'unicité
narcissique, ne peut être déduite, comme *retour à un état
antérieur*, que par un appel au mythe : la fable de l'andro-
gyne proposée par l'Aristophane du Banquet de Platon.
Ainsi en va-t-il pour la pulsion de mort : ici, la priorité du
temps réfléchi, naguère solidement affirmée en ce qui concerne
le *masochisme au sens sexuel*, va se redoublant ou se démul-
tipliant du côté des origines : déjà au niveau de l'auto-

---

(1) Nous avons eu l'occasion de renvoyer à ce sujet à Melanie Klein, mais on
peut aussi bien invoquer Balint, ou encore Bowlby dans un article fort utile à
condition d'être, lui-aussi, réinterprété : *Nature du lien de l'enfant avec sa mère* in
I. J. P., Vol. XXXIX, part V, 1958.

conservation du vivant, l'agression était là sur place, stagnant *à l'intérieur*, et c'est sur place qu'elle va se trouver « liée libidinalement par la co-excitation sexuelle » (1) sous la forme du masochisme primaire.

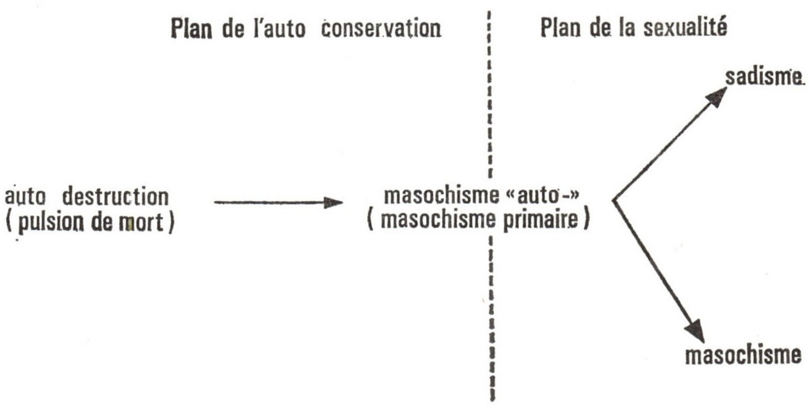

Le second élément de l'exigence de la pulsion de mort, c'est la *priorité du zéro sur la constance*. On sait que les énoncés freudiens du principe de plaisir le ramènent, comme à son fondement objectif ou même mathématique, au « principe de constance ». Mais *la dualité du plaisir*, qui le fait se scinder en plaisir de fonction et plaisir d'organe, en satisfaction paisible et en jouissance, se retrouve au niveau économique. Les formulations du principe de constance donnent l'impression de recouvrir, à leur tour, la même duplicité. Citons, en ce sens, deux définitions de ce principe économique dans « Au-delà du principe de plaisir » :

— La tendance à « la réduction, la constance, la suppression de l'excitation interne... »

---

(1) Freud (S.), *Le problème économique du masochisme*, G. W., XIII, p. 376. Trad. fr., in R. F. P., 1928, 2, n° 2, p. 216.

— La tendance de l'appareil psychique « ... à maintenir aussi bas que possible la quantité d'excitation présente en lui, ou du moins à la maintenir constante ».

Ainsi les termes de « zéro » et de « constance », que nous prétendons nettement disjoindre, sont souvent présentés par Freud comme situés dans un continuum, soit qu'il établisse entre eux une vague synonymie quitte à renvoyer à la « psycho-physiologie » le soin de les distinguer plus nettement, soit qu'il présente la tendance à la constance comme un *pis-aller* par rapport à la réduction absolue des tensions.

Pourtant à ce niveau quantitatif où Freud ne se fait pas faute d'introduire une terminologie d'allure mathématique, une discussion *a priori* des différentes relations possibles entre nos deux termes se justifie :

a) *Le zéro peut-il être assimilé à la constance ?* Figurons un système homéostatique simple, où un dispositif auto-régulateur vise à maintenir constant un certain niveau énergétique N. Dans un tel système, selon qu'il s'éloigne du niveau N par excès ou par défaut, c'est une évacuation *ou* un apport d'énergie qui sera nécessaire pour rétablir l'homéostase. D'autre part, une réduction énergétique tendant à porter le système au niveau zéro pourra, sur une partie de son parcours, apparaître comme favorable au rétablissement de la constance, mais poussée jusqu'au bout, elle contredit gravement le principe de constance.

Si l'on reporte ceci au niveau de l'homéostase d'un *orga-*

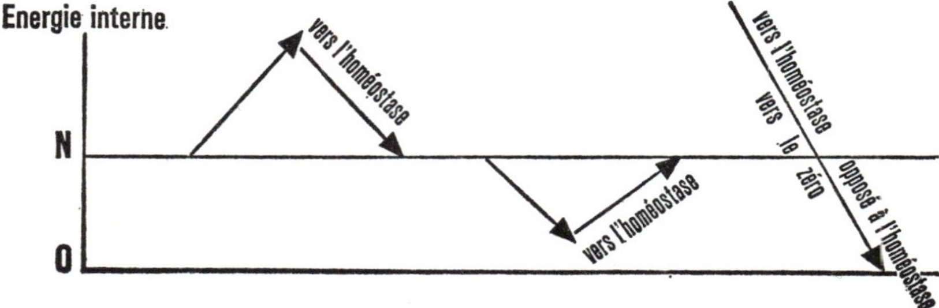

nisme, on rejoint cette évidence expérimentale qu'un être vivant ne cherche pas uniquement, comme le voudrait Freud, à évacuer des excitations qui lui seraient sans cesse apportées sous forme d'afflux contingents venant de l'extérieur : cet organisme, selon les circonstances et selon son niveau énergétique interne, peut aussi bien rechercher l' « excitation » que l'éviter ou l'évacuer.

Ainsi, pour autant qu'ils se rapportent, dans un même système, à la même espèce d'énergie quantifiable, un principe du zéro et un principe de la constance sont irréductibles l'un à l'autre.

b) Un principe du zéro peut-il être considéré comme second par rapport à un principe de constance ?

Considérons toujours le même système homéostatique, mais en y introduisant une seconde variable : à côté de l'énergie interne, la *quantité d'éloignement* par rapport au niveau N de référence, que cet éloignement se produise par la diminution du taux absolu de l'énergie aussi bien que par son augmentation. Dès lors, un même échange énergétique entre le système et son milieu se traduit différemment selon qu'on envisage l'une ou l'autre des deux variables : la loi de constance, posée comme régissant les variations dans le temps des *quantités absolues* d'énergie interne, se traduit en une loi du zéro lorsque c'est la *quantité de variation ou d'écart* par rapport à la norme qui est prise elle-même comme variable. (Voir schéma page suivante)

De telles considérations nous ramèneraient directement à la pensée de Fechner, dont trois thèses doivent être considérées comme références de base pour discuter des considérations freudiennes sur l'économie du plaisir : *l'énoncé du principe de plaisir* (1) — *l'énoncé du principe de stabilité*, considéré

---

(1) Un grand nombre de traits du principe de plaisir freudien sont déjà présents dans l'écrit de Fechner publié en 1848 : « *Über das Lustprinzip des Handelns* » (in *Zeitschrift für Philosophie und Philosophische Kritik*, Halle, 1848.)

Déjà, chez Fechner, il ne s'agit en rien d'un hédonisme au sens traditionnel :

par Freud comme l'équivalent de son principe de constance (1) — enfin la « *loi psychophysique* » fondamentale

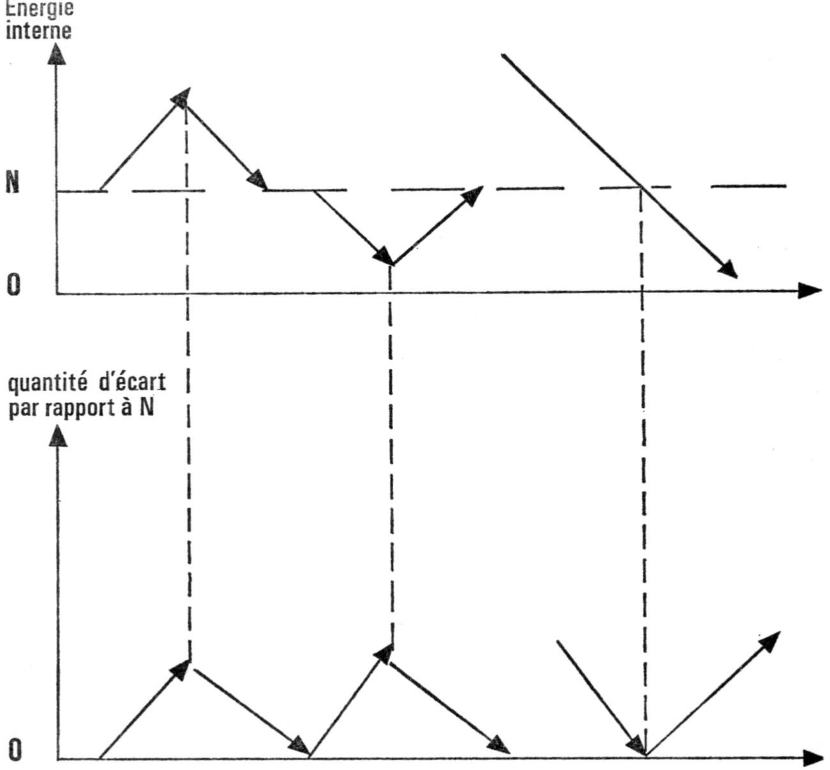

la représentation du plaisir ou de déplaisir *futur* ne sert de rien. Le principe de plaisir est un principe régulateur exigeant une sensation *actuelle* pour tout mettre en marche ; il joue au niveau du plaisir-déplaisir lié aux représentations elles-mêmes, et non au niveau du représenté, du visé, du projeté. Comme le mouvement est toujours du déplaisir vers le plaisir, on conçoit que, dans ce couple, le terme actuel, motivant, soit le déplaisir : FREUD, on le sait, a commencé par parler d'un « principe de déplaisir » puis d'un principe de « déplaisir-plaisir » ; il affirme à plusieurs reprises, une *régulation automatique* du cours des processus psychiques par ce principe ; il situe enfin le principe comme réglant le « cours des représentations ». En tout cela, il reprend les thèses fechnériennes.

(1) FREUD (S.), *Au-delà du principe de plaisir*, G. W., XIII, p. 4-5-6. Trad. fr. in *Essais de psychanalyse.*, Paris, Payot, 1951.

qui quantifie la « sensation » comme « logarithme de l'excitation » établissant par là une relation précise entre la quantité de variation subjectivement perceptible (quantité définie par la somme des écarts successifs) et la quantité de l'afflux objectif d'énergie. Or la position de Freud par rapport à ces trois contributions capitales de Fechner est tout à fait remarquable :

— Il ne souffle mot de l'énoncé par Fechner d'un « principe de plaisir de l'action » dans des termes très proches de ses propres conceptions.

— Il considère le « principe de stabilité » comme l'énoncé le plus général auquel « ... la tendance que nous attribuons à l'appareil psychique se subordonne comme un cas particulier... » (1)

— Il déclare que « G. Th. Fechner a présenté une conception du plaisir et du déplaisir qui coïncide pour l'essentiel avec ce que nous impose le travail psychanalytique » et cite un passage très explicite où Fechner applique aux sensations de plaisir déplaisir la « relation psycho-physique » fondamentale (2) ; ... Et cependant il se refuse, à partir de là, à suivre la voie qui permettrait de rapporter, en une fonction précise, la tendance au zéro à la tendance à la constance, le zéro de l'écart perçu à la constance du niveau énergétique interne.

---

(1) FREUD (S.), *Ibid.*, G. W., XIII, p. 5.
(2) Il vaut la peine de retranscrire ici le passage de Fechner cité par FREUD dans *Au-delà du principe de plaisir*.
« Pour autant que les stimulations conscientes sont toujours en rapport avec du plaisir ou du déplaisir, on peut aussi considérer le plaisir et le déplaisir comme étant en relation psycho-physique avec des conditions de stabilité et d'instabilité. Ceci permet de fonder cette hypothèse que je me propose de développer ailleurs : tout mouvement psychophysique qui passe le seuil de la conscience est affecté de plaisir dans la mesure où, au-delà d'une certaine limite, il se rapproche de la stabilité complète, et affecté de déplaisir dans la mesure où il s'en éloigne au-delà d'une certaine limite ; entre ces deux limites que l'on peut caractériser comme seuils qualitatifs du plaisir et du déplaisir, il subsiste une certaine

Pour désintriquer, en allant dans le sens de Fechner, ses propres définitions du principe de constance, il aurait fallu que Freud distinguât deux types tout à fait hétérogènes de quanta : le quantum d'écart par rapport à la stabilité (ce que Fechner nomme sensation) et le quantum d'énergie (ce que Fechner nomme excitation). Or d'emblée, dès les premiers énoncés « économiques », la thèse freudienne ne se réfère qu'à *une seule espèce de « quantité »* : dans le « Projet de psychologie scientifique », les quantités internes (Qn) sont de même nature que les quantités extérieures (Q) et ne se différencient d'elles que par l'amoindrissement que leur a fait subir un système de filtres ; ailleurs, et constamment, des termes comme « quantum d'affect », « somme d'exci-tation », « stimulation externe », « stimulation interne » etc. sont donnés comme purement et simplement homo-gènes.

c) Ainsi Freud refuse-t-il la solution fechnérienne : il lui faut un quantum d'énergie psychique *matériellement* déta-chable, susceptible de circuler, et non pas cette *fonction mathématique* qu'est la « sensation » fechnérienne, insépa-rable de l' « excitation » actuelle dont elle est le logarithme ; mais surtout il lui faut affirmer, en dépit des vraisemblances biologiques ou même psychophysiques, le *primat du zéro sur la constance.*

Dès le « Projet de psychologie scientifique » se trouve nettement posée la distinction des deux principes qui seront repris plus tard sous la forme de principe de Nirvana et

---

zone d'indifférence esthétique [...]. (Fechner. Quelques idées sur l'histoire de la création et du développement des organismes. *Einige Ideen sur Schöpfungs-und Entwicklungsgeschichte der Organismen*, 1873. Section VI, appendice, p. 94).

Freud ne peut pas avoir ignoré le type rigoureux de solution apporté par Fechner au problème du zéro et de la constance. Or, deux lignes après cette citation, il produit à nouveau une de ces formules volontairement vagues où le maintien de la constance n'apparaît que comme une approximation imparfaite de la tendance au niveau le plus bas.

de principe de constance : le premier de ces principes, nous l'avons déjà rencontré avec sa dénomination de « principe d'inertie neuronique » : « Les neurones visent à se débarrasser de la quantité ». Il est encore explicitement énoncé comme tendance au zéro d'excitation : « ... tendance originaire du système neuronique à l'inertie, c'est-à-dire au niveau = 0. »

Ce *principe du zéro* est constamment identifié aux notions suivantes :

— énergie libre, tendant par les voies les plus courtes vers la décharge.

— processus primaire.

— principe de plaisir (ou de déplaisir) : « Comme nous connaissons avec certitude une tendance de la vie psychique à éviter le déplaisir, nous sommes tenté d'identifier cette tendance avec la tendance primaire à l'inertie. Le déplaisir coïnciderait alors avec l'augmentation quantitative de la pression... le plaisir serait la sensation de décharge... » (1)

On voit que dans cette définition du plaisir-déplaisir, *dans l'appareil psychique*, il n'est *pas question de constance*. Non pas qu'un principe de constance soit absent de la première élaboration freudienne ; mais on le retrouve dans une toute autre position, où il vient *s'opposer* au processus primaire. La notion de constance est introduite secondairement, comme une adaptation, en raison de « la nécessité de la vie », du principe d'inertie :

« Le système neuronique est forcé d'abandonner la tendance originaire à l'inertie, c'est-à-dire au niveau = 0. Il doit se résoudre à avoir une provision de quantité, pour satisfaire aux exigences de l'action spécifique. Dans la façon dont il le fait, se montre cependant la continuation

---

(1) FREUD (S.), 1895, *Projet de psychologie scientifique.* Édition All., p. 397. Trad. fr. Paris, P. U. F., 1956, p. 331.

de la même tendance, modifiée en effort pour maintenir au moins aussi basse que possible la quantité, et à se défendre contre les augmentations, c'est-à-dire à la maintenir constante. »

Ainsi la *loi de constance*, même si elle n'est pas posée explicitement comme principe, correspond très exactement à l'énergie liée et au processus secondaire. Nous l'avions déjà repérée précédemment, comme liée à l'apparition de *l'instance du moi*, forme investie à un niveau constant qui vient lester, modérer, régler la circulation libre du désir inconscient, inhibant le réinvestissement hallucinatoire des représentations liées aux premières « expériences de satisfaction »...

Et il est bien vrai qu'avec « Au-delà du principe de plaisir » c'est la même priorité du zéro qui, sous le nom de Nirvana, est réaffirmée. Le déplacement du terme « principe de plaisir » ne doit pas ici nous égarer : le principe de plaisir, en tant qu'il est, tout au long de ce texte, énoncé d'une seule traite avec « sa modification » en principe de réalité, est situé désormais du côté de la constance. C'est « sa forme la plus radicale » ou son « *au-delà* » qui, comme principe de Nirvana, réaffirme la priorité de la tendance au zéro absolu, ou « pulsion de mort ».

Mais la thèse freudienne ne serait là que simple redite si elle ne témoignait de la résurgence d'un autre aspect du « *Zwang* » : *la nécessité de reporter les deux priorités précédentes (priorité du temps auto-, priorité du zéro) dans le domaine du vital.* A partir d' « Au-delà du principe de plaisir », c'est l'ensemble du domaine biologique, son histoire comme ses manifestations actuelles, qui se trouve infesté par l'immanence d'une tendance au zéro, travaillant obscurément mais inéluctablement « à l'intérieur ».

Thème romantique ou rilkien témoignant d'une familiarité permanente de Freud avec sa propre mort ? c'est possible. Mais le report du zéro dans la vie, la tentative de *déduire* le vivant à partir de lui ne sont pas des manifestations sans antécédent dans l'œuvre théorique elle-même.

Pour autant que le « Projet de psychologie scientifique » se présente, dans l'ambiguïté métaphorique la plus absolue, comme *aussi* une théorie de l'organisme vivant, il est particulièrement éclairant de comparer cette théorie avec *la pensée de Breuer* telle que, dans le même moment, elle s'énonce dans le chapitre de « Considérations théoriques » qu'il rédige pour les « Études sur l'hystérie ». Car il faut s'en tenir étourdiment ou paresseusement, aux plus extérieures des formulations, pour considérer sans discussion ce qui est exposé là par Breuer (1) comme l'étape initiale de la pensée de Freud.

C'est que, si l'expérience clinique est apparemment la même — la « rétention » de l'affect dans les phénomènes hystériques et son contraire, l' « abréaction » —, si « la règle de constance des sommes d'excitation » est présentée comme la première des « théories communes » aux deux auteurs, au point que chacun d'entre eux en fait hommage à l'autre, la divergence est en réalité profonde entre la physiologie breuerienne des « Considérations théoriques » et celle qui ressort du « Projet de psychologie scientifique » (2).

------

(1) C'est pourtant ce que fait Bernfeld (S.) dans un article qui n'a que le mérite d'avoir été l'un des premiers à porter son attention sur la pensée de Breuer : *Freud's earliest theories and the school of Helmholtz.* In : *The Psychoanalytic quarterly,* XIII, 1944, nᵒ 3.

(2) De cette divergence, on trouve trace jusque dans les viciscitudes subies par l'énoncé du principe de constance aux différentes étapes de rédaction du seul chapitre des « *Studien* » qui soit signé des deux co-auteurs : la *Communication Préliminaire* de 1893.

Dans la lettre à Josef Breuer du 29-6-1892 (G. W., XVII, p. 5), FREUD se réfère d'abord, comme à une théorie commune, au « théorème de la constance de la somme d'excitation », mais sans en préciser le contenu. Dans un manuscrit préparatoire rédigé en commun, le principe est énoncé comme principe de *constance,* la décharge n'étant que le *moyen* de rétablir cette « condition de la santé » (G. W., XVIII, pp. 12-13). Dans le texte publié par les deux auteurs, et inséré ensuite dans les *Études sur l'hystérie,* la « Communication Préliminaire » de 1893, *tout énoncé du principe disparaît.* Or, dans le même temps où la « Communication » est publiée, FREUD prononce une conférence sur le même sujet au

Breuer, ne l'oublions pas, a collaboré aux travaux de Hering sur une des autorégulations majeures de l'organisme : celle de la respiration. La constance dont il parle est du même type : c'est une *homéostase*. Non certes une homéostase de l'organisme dans son ensemble (comme le sont précisément celles qui règlent les grandes constantes vitales) mais une homéostase d'un système plus particulier, plus spécialisé, celle du système nerveux central.

C'est dans ce cadre que doit être comprise sa distinction entre une énergie « quiescente » ou « excitation tonique intracérébrale », et une énergie cinétique circulant à travers le système. Le principe de constance règle, chez Breuer, *le niveau de base* de l'énergie tonique, et non, comme le fera le principe de plaisir chez Freud, l'*écoulement* de l'énergie circulante.

Dès lors il s'énonce ainsi : « Il existe dans l'organisme une tendance à maintenir constante l'excitation tonique intracérébrale. » (1)

Un tel niveau de base est conçu comme un *optimum*. Comme tel, il peut être menacé par divers changements de niveau, les uns opérant une perturbation généralisée, d'autres un trouble plus localisé ; comme tel il peut être

---

Club médical viennois », exposé dont le compte-rendu, publié à son tour, « porte toutes les marques d'être l'œuvre de FREUD seul » (Préface de J. Strachey in S. E., III, p. 26). Ici, le principe réapparaît sous une forme qui ne fait plus allusion à la constance mais uniquement à la *décharge* nécessaire :

« Si une personne reçoit une impression psychique, quelque chose, que nous nommerons pour le moment somme d'excitation, s'accroît dans son système nerveux. Eh bien, il existe en tout individu une tendance à diminuer à nouveau cette somme d'excitation, afin de préserver sa santé ». (Conférence sur « le mécanisme psychique de phénomènes hystériques », S. E., III, p. 36.)

Ainsi, il semble bien qu'après rédaction en commun d'une formulation allant dans le sens d'un *principe de constance*, des divergences, explicites ou non, aient conduit à exclure ce point de la publication ; puis Freud reprend aussitôt sa liberté en énonçant, en termes plus cliniques un principe de décharge qui s'apparente au *principe d'inertie* ou principe du zéro.

(1) FREUD (S.) et BREUER (J.), 1895, Études sur l'hystérie, Éd. All. originale p. 172, **Tr. fr. Paris, P. U. F., 1956, p. 157.**

rétabli par la décharge (abréaction) *mais aussi par la re-charge.* Il s'agit, dirions-nous, du maintien d'une véritable *Gestalt* énergétique.

Cet optimum enfin a une finalité : c'est la bonne et libre circulation de l'énergie cinétique, c'est-à-dire un fonctionnement aisé de la pensée, l'existence d'associations non entravées :

« Nous avons parlé d'une tendance de l'organisme à maintenir constante l'excitation cérébrale tonique : mais une telle tendance ne peut être compréhensible que si nous pouvons percevoir à quel besoin elle répond. Nous comprenons la tendance à maintenir constante la température de l'organisme à sang chaud, parce que nous savons par l'expérience que cette température est un *optimum* pour le fonctionnement des organes... Je crois qu'on peut aussi admettre que la hauteur de l'excitation tonique intracérébrale a un *optimum.* A ce niveau d'excitation tonique le cerveau est accessible à toutes les excitations externes, les réflexes sont frayés, mais seulement dans les limites d'une activité réflexe normale, le fonds des représentations est capable d'être éveillé et associé, selon cette proportion relative réciproque entre chacune des représentations qui correspond à une réflexion claire. » (1)

Inversement, dans le rêve, les associations seraient défectueuses et entravées. *Thèse diamétralement opposée à celle de Freud,* le rêve, chez Breuer, est le témoignage d'un état où l'énergie psychique n'est rien moins que « libre », et ceci en raison d'une « chute » de ce potentiel tonique de base qui est « la condition même du pouvoir de transmission » (2).

Le modèle utilisé ici est celui d'un réseau où la modulation n'est possible qu'à partir d'un certain niveau électrique de base qui doit être maintenu à tout prix : l'énergie toni-

---

(1) Ibid., Ed. All., p. 172, Tr. fr. p. 157,
(2) Ibid., Ed. All., p. 168, Tr. fr. p. 153.

que a une priorité absolue sur toute circulation possible de l'énergie cinétique.

Ce trop court résumé de la pensée de Breuer devrait suffire à montrer tout l'intérêt d'une approche neurophysiologique, qui, tout en partant des notions dites physicalistes de l'école de Helmoltz, est restée très souple, très proche de l'expérience physiologique. Une telle approche peut être considérée comme n'étant pas rigoureusement contradictoire avec les découvertes ultérieures de la neurophysiologie (maintien d'un niveau de base par le système réticulé activateur par exemple...), comme une hypothèse scientifiquement vraisemblable et ouverte.

Or Freud, dès ses premiers travaux et tout au long de son œuvre, utilise comme repère conceptuel fondamental l'opposition entre deux types d'énergie : l'énergie libre et l'énergie liée. Il attribue l'introduction de cette distinction en psychologie à Breuer et assimile explicitement son énergie libre à l'énergie cinétique de Breuer, son énergie liée à l'énergie quiescente :

« On peut rapprocher cette façon de se représenter les choses de la différence établie par Breuer entre l'énergie quiescente (liée) et l'énergie d'investissement librement mobile dans les éléments des systèmes psychiques. » (1)

Une référence aux origines communes des théories de Breuer et de Freud dans la *pensée de Helmoltz* devrait, en principe, nous permettre de mieux comprendre une telle assimilation. Et, en effet, on trouve nettement posée chez Helmoltz la distinction d'une *énergie libre* et d'une *énergie liée*. Ces termes sont introduits par lui dans la ligne d'une réflexion sur le principe de Carnot-Clausius et sur la dégradation de l'énergie. Le principe de Carnot, on le sait, abou-

---

(1) FREUD (S.), *Au-delà du principe de plaisir*, G X., XIII, p. 26.

tit à l'idée que, nonobstant la définition initiale de l'énergie comme « capacité de produire un travail » et malgré le principe de la conservation de l'énergie, ce qui se conserve dans un système donné — son énergie interne totale — n'est pas pour autant susceptible d'être indéfiniment reconverti en travail. D'où la distinction de deux types d'énergie dont la somme constitue l'énergie interne : une énergie reconvertible en travail, « utilisable » (Maxwell) et une énergie non reconvertible, « dégradée » sous forme de chaleur. C'est pour désigner ces deux types d'énergie que Helmoltz propose les termes d'*énergie libre* et d'*énergie liée* :

« Il me paraît certain qu'il faille distinguer, également dans les processus chimiques, entre la partie des forces d'affinités qui est capable de se transformer librement en d'autres sortes de travail, et celle qui ne peut se manifester que sous forme de chaleur. Pour abréger, je nommerai ces deux parties de l'énergie : énergie libre et énergie liée. » (1) Ce qui se traduit, pour un système donné, par l'équation

$$\underset{\text{Énergie interne}}{U} = \underset{\text{Énergie libre}}{F_{(reie)}} + \underset{\text{Énergie liée}}{G_{(ebundene)}} = C^{te}$$

Équation où l'énergie libre (*énergie librement utilisable*) tend constamment à diminuer tandis qu'augmente l'énergie liée (non reconvertible).

Or, une certaine analogie se retrouve entre cette loi et celle qui régit, dans un système mécanique, les quantités relatives de l'énergie tonique ou potentielle et de l'énergie

---

(1) Helmholtz (H), 1882 « Über die Thermodynamik chemischer Vorgänge », In : *Abhandlungen zur Thermodynamik chemischer Vorgänge*, Leipzig, Engelman, 1902, p. 18.

cinétique : comme l'énergie tonique, l'énergie libre de Helmholtz suppose un haut niveau de potentiel et la capacité
de se transformer dans l'autre forme ; comme elle, elle tend
à décroître au cours des différentes conversions pour atteindre un niveau minimal, tandis que, de son côté, l'énergie
cinétique n'est jamais complètement reconvertible en énergie tonique (1). Malgré certaines nuances qui n'ont pas leur
place ici, on peut proposer une autre équation, au niveau
des lois mécaniques régissant les états d'équilibre :

$$\underset{\text{Énergie totale}}{E} = \underset{\text{Énergie tonique}}{T\searrow} + \underset{\text{Énergie cinétique}}{C\nearrow} = C^{te}$$

Si donc, au sein de la science physique, un rapprochement
devait être fait, ce serait entre énergie libre et énergie tonique, énergie liée et énergie cinétique, rapprochement qui
est *exactement* l'inverse de celui que fait Freud, en assimi-
lant ses propres termes, énergie libre et énergie liée, à la
distinction breuerienne de l'énergie cinétique et de l'énergie
quiescente (2).

Maldonne ? double chassé-croisé ? Freud reprend des
termes chargés par Helmoltz du sens de la 2e loi de la Ther-
modynamique ; il en inverse, approximativement, la signification, interprétant la qualification de libre dans le sens
de « librement mobile », et non plus de « librement utili-

---

(1) « Un système de corps se trouve en état d'équilibre stable quand son
énergie potentielle possède l'une de ses valeurs minimales possibles. » Chwolson
(D, O.), *Traité de Physique*. Trad. fr., Paris, Hermann, 1906, p. 117.

(2) Ce chassé-croisé a déjà été relevé par Penrose (L. B.), « *Freud's theory
of instinct* ». *International Journal of Psychoanalysis*, XII, p. 92. :

« Il convient de noter en passant que, tout au long de ses analyses, Freud
semble accréditer une terminologie opposée à celle qui est généralement utilisée,
et qui nomme l'énergie potentielle *énergie libre* et l'énergie cinétique, que nous
nommons énergie libre, *énergie liée*. »

sable » ; enfin, il plaque cette opposition sur les distinctions introduites par Breuer... Si, dans « L'interprétation du rêve », l'absurdité manifeste correspond à une critique ironique à retrouver dans le contenu latent, nous nous croyons autorisé à voir dans ce traitement formellement révérencieux de la théorie breuerienne, la marque d'une irrévérence exaspérée.

Quelle différence, en effet, entre les hypothèses *raisonnables* de Breuer et la grande *machinerie* du « Projet de psychologie scientifique »! Au point précis où nous en sommes, cette différence se marque au plan même de l'organisme : l'un pose les bases d'un organisme viable, dont les relations à l'extérieur sont réglées par des homéostases, et où le fonctionnement aisé, la bonne circulation, est seconde par rapport au maintien de la bonne forme ; l'autre, au contraire, entend déduire, au sein de l'organisme, la « fonction secondaire » en partant d'une tendance primaire à l'évacuation de l'énergie. Il n'est que de suivre soigneusement les premières lignes du « Projet », consacrées au « point de vue quantitatif » pour en percevoir toute l'étrangeté :

Le principe de l'inertie neuronique, principe d'évacuation absolue de l'énergie, est d'emblée illustré par ce qu'on désigne couramment comme le *modèle de l'arc réflexe* (1) : évacuation, à l'extrémité motrice, de l'excitation reçue à l'extrémité réceptrice, avec pour postulat essentiel que c'est la même quantité, de la même énergie, qui est apportée à l'une des extrémités pour être restituée, sous forme de mouvement, à l'autre bout. Modèle naïf d'une conduction par le système nerveux de l'énergie mécanique reçue, comme s'il s'agissait d'un système hydraulique de drainage ;

---

(1) Freud (S.), 1895, « *Projet de psychologie scientifique* », in : *la Naissance de la psychanalyse* Édit. All., pp. 380-381. Trad. fr., Paris, P.U.F., 1956, pp. 316-317.

modèle incompatible avec les connaissances physiologiques, déjà établies à la fin du xixe siècle ; modèle auquel Freud lui-même, parfois, apporte des corrections en indiquant que ce qui se passe à l'extrémité motrice n'est pas simple transmission d'énergie, mais déclenchement d'une libération d'énergie interne au niveau des « neurones moteurs » (1) ; modèle qui cependant, dans son simplisme mécaniste massif, se retrouvera au fondement de l'évolution de la « vésicule vivante », jusque dans « Au-delà du principe de plaisir ».

Or, c'est à partir de ce fonctionnement a-biologique, mortifère au sens même de la pulsion de mort, que Freud entend introduire par une sorte de déduction, la constitution d'une « réserve d'énergie ». Le médiateur, pour cette déduction, c'est ce que Freud nomme « l'urgence de la vie »... entendant par là la pression exercée sur l'organisme par un afflux d'excitation d'origine interne, l'insuffisance des réactions organiques anarchiques pour évacuer durablement cette surcharge, et la nécessité de déclencher des actions appropriées, « spécifiques », seules susceptibles d'ouvrir les vannes de la décharge :

« L'appareil neuronique doit se constituer une provision de quantité, pour satisfaire aux exigences de l'action spécifique. Dans la façon dont il accomplit ceci, se montre cependant la persistance de la même tendance [au niveau = 0], modifiée en tendance à maintenir la quantité au moins le plus bas possible, et à se défendre contre l'augmentation, c'est-à-dire à la maintenir constante. Toutes les actions du système nerveux doivent être considérées soit au point de vue de la fonction primaire, soit à celui de la fonction secondaire qui est imposée par l'urgence de la vie » (2).

Ainsi, dans le passage d'un mécanisme régi par la seule pulsion de mort à une organisation soumise au principe de

---

(1) *Ibid.*, Éd. All., p. 405. Trad. fr., p. 339.
(2) *Ibid.*, Éd. All,, p. 381. Trad. fr., p. 317.

constance, c'est *l'idée* même *de vie*, qui servirait de médiateur ou de catalyseur. Et chaque fois où, dans le « Projet de psychologie scientifique », Freud introduit la référence au « point de vue biologique » c'est afin d'établir un pont destiné à franchir une discontinuité dans le raisonnement « mécaniste ».

Que l'*idée* d'organisme — ce terme étant pris ici avec toutes ses connotations, aussi bien celles de représentation que celles de *eidos* : forme — soit le facteur qui « précipite » la liaison, et provoque le passage du fonctionnement *psychique* primaire au fonctionnement secondaire, c'est là une conception qui nous paraît cohérente avec l' « introduction du moi », tout au long de la pensée psychanalytique. Mais l'aporie surgit lorsque, au niveau « antérieur » — déduction du vivant et déduction même de « la vie » — c'est encore la même « urgence de la vie » qui est invoquée, comme cause finale, pour justifier la constitution d'un organisme et le maintien d'une provision qui soit « liée » par la limite même de la « vésicule » : ainsi se trouve reportée dans l'ordre vital la priorité ou primarité conjointe du temps réfléchi et de la tendance au zéro qui ne trouve cependant sa justification que dans le champ psychanalytique.

Il resterait à *interpréter* le triple *Zwang* qui s'affirme dans la pulsion de mort, à entrevoir la rationalité originaire qui se masque sous l'illogisme choquant de certaines thèses : une interprétation qui, à chacun de ces trois moments doit tenter de rejoindre un *rappel à l'ordre issu de l'inconscient lui-même.*

La priorité du temps auto-? Nous croyons avoir montré, que ce soit à propos de l'auto-érotisme, du fantasme ou du masochisme, qu'il n'y a pas là autre chose que la position du caractère originaire du moment réfléchi pour la constitution de la sexualité humaine.

C'est encore le rappel de l'autonomie du champ sexuel humain comme champ de la psychanalyse, la règle selon laquelle il n'y a rien à chercher « au-delà » dans l'écoute et l'interprétation analytique, toute référence non-médiatisée à la vie, à la conservation de soi ou à la réalité tombant en dehors de nos prises.

C'est encore l'affirmation du fantasme comme notre élément primaire, intériorisation originaire du « conflit » et de l'inconciliable. En ce sens, la pulsion de mort, concept qui semble bien peu dialectique, se présente, dans les dernières formulations de Freud, non pas comme un élément de conflit, mais comme *le conflit* substantialisé, principe interne de discorde et de désunion (1).

La priorité du zéro sur la constance ? Nous y voyons l'affirmation réitérée des lois du processus inconscient, dans leur hétérogénéité par rapport à tout ce qui dépend de l'intervention de la réalité ou du moi. La circulation libre de l'affect, telle que nous la repérons dans le fantasme ou dans les lois du rêve est ici réaffirmée : dans « l'Interprétation du rêve », c'est dans un « *appareil réflexe* », constitué de systèmes mnésiques ou représentatifs, que le modèle de l'arc réflexe retrouve son sens originaire. Le principe de plaisir, radicalisé en principe de Nirvana, n'a été découvert et n'est valable qu'au niveau des représentations, et ne saurait être démarqué tel quel — sans que la confusion la plus grande ne s'introduise en psychanalyse — de principes apparemment similaires repérés dans « l'ordre vital ».

Cependant c'est bien avec les *principes de l'ordre vital* que Freud, dès le début, veut établir une sorte de continuité. C'est en eux que, dans « Au-delà du principe de plaisir », il reporte, comme tendance à la mort, une compulsion de répétition dont la preuve majeure est pourtant tirée du phénomène psychanalytique par excellence : le transfert. C'est bien poser la question la plus difficile que de nous inter-

---

(1) FREUD (S.), 1937, *Analyse finie et analyse infinie.* G. W., XVI, p. 90.

roger sur une exigence interne qui mène à reporter au niveau biologique deux thèses qui ne se justifient que par rapport à la découverte psychanalytique.

Certes, la nécessité d'*affirmer l'originaire*, aussi bien sous la forme du « mythe individuel » (1) que dans le mythe historique ou préhistorique, se repère bien comme une des directions fondamentales, fondatrices, de la pensée freudienne. Et poser le mythe biologique du surgissement de la forme vivante à partir du chaos énergétique, c'est bien projeter dans la même dimension, en deçà de notre atteinte, l'événement individuel qui fait se coaguler, au sein de ce que nous imaginons non sans peine sous le terme de processus primaire, le premier noyau d'un moi.

Pourtant, si l'on considère que ce report du présent dans le passé, de l'ontogenèse dans la phylogenèse, est aussi, dans le cas présent, report de la mort dans la vie, on ne peut éviter une interprétation plus spécifique de ce mouvement vers l'originaire. Comme s'il y avait, chez Freud, la perception plus ou moins obscure d'une nécessité de réfuter toute interprétation vitaliste, d'ébranler dans ses fondements la vie avec sa consistance, son adaptation et, pour tout dire, son instinctualité — dont nous avons noté combien elle était problématique chez l'être humain. Et pour cela, reporter — c'est là bien sûr le paradoxe — la mort au niveau même de la biologie, comme un *instinct*. Ce n'est pas sans de bonnes raisons que les commentateurs ont plus d'une fois noté qu'au niveau du dernier « dualisme » freudien ce n'était peut-être plus de pulsions au sens « freudien » du terme qu'il était question, mais d'instincts, en une sorte de dépassement hyperbolique de la signification banale pris par ce terme dans les sciences de la vie. Pour

---

(1) Cf. Lacan (J.), « *Le mythe individuel du névrosé ou « poésie et vérité »* *dans la névrose* ». Conférence au Collège Philosophique.

Freud en un sens analogue parlait déjà de « *roman familial du névrosé* ». Freud (S.), 1909, G. W., VII, pp. 227-234.

mieux comprendre comment cette compulsion à démolir la vie se fait jour, en ce moment précis de 1919, avec l'emprise de la pulsion de mort, des considérations supplémentaires sur l'évolution et la structure de la théorie freudienne seraient indispensables.

1914 : « Pour introduire le narcissisme », 1923 : « Le moi et le ça ». C'est le moment où, avec le développement de la théorie du moi et de son investissement libidinal narcissique, la « vie » se fait plus pressante et plus envahissante. Voilà le moi qui se targue de tous les pouvoirs et de toutes les délégations, délégations de l'auto conservation mais aussi délégations de la sexualité jusque dans l'amour et le choix d'objet, toujours marqués, nous l'avons vu, du stigmate narcissique. Voici apparaître, de façon concomittante, *Éros*, force divine que nous n'avons pas pu examiner longuement, si ce n'est pour souligner combien elle diffère de la sexualité, découverte première de la psychanalyse. Éros est ce qui veut maintenir, préserver et même augmenter la cohésion et la tendance synthétique de l'être vivant comme de la vie psychique. Alors que, depuis les origines de la psychanalyse, la sexualité était par essence hostile à la liaison, principe de « dé-liaison » ou de déchaînement (*Entbindung*) qui ne trouvait à se lier que par l'intervention du moi, ce qui apparaît avec Éros c'est la *forme liée et liante* de la sexualité, mise en évidence par la découverte du narcissisme. C'est cette sexualité investie dans son objet, attachée à une forme, qui soutient désormais le moi et la vie même, aussi bien que tel ou tel mode de sublimation.

Face à ce triomphe du vital et de l'homéostatique, il s'agissait pour Freud, dans la nécessité structurale de sa découverte, de réaffirmer, non seulement en psychanalyse, mais même en biologie par un dépassement catégorique des découpages épistémologiques, une sorte d'anti-vie comme sexualité, jouissance, négatif, compulsion de répétition. Stratégiquement, le report des principes du champ psychanalytique dans l'ordre vital se présente comme une contre-attaque, une façon de porter le feu et le fer dans les bases mêmes à partir desquelles on risque d'être envahi. Stratégie subjective? Stratégie de la doctrine? Mais aussi stratégie de la chose même s'il est vrai que ce report, dans la vie, de la guerre humaine était déjà au ressort de la subversion généralisée introduite par la sexualité.

L'énergie de la pulsion sexuelle, on le sait, a été dénommée « libido ». Né d'un souci formaliste de symétrie, le terme de « destrudo », proposé jadis pour désigner l'énergie de la pulsion de mort, n'a pas survécu plus d'un jour. C'est que la pulsion de mort n'a pas d'énergie propre. Son énergie c'est la libido. Ou, pour mieux dire, la pulsion de mort est l'âme même, le principe constitutif, de la circulation libidinale.

La généalogie du dernier dualisme pulsionnel? Si l'on range face à face les termes constituant les couples d'opposition constants dans la pensée psychanalytique...

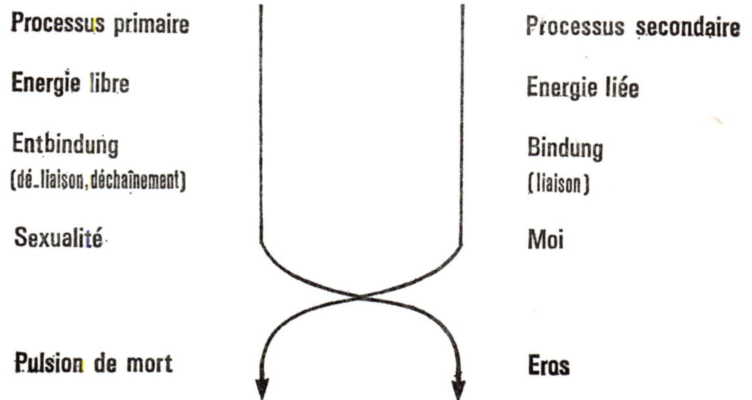

cette généalogie se dessine en un étrange chiasma dont, successeurs de Freud, nous commençons à déchiffrer l'énigme.

CONCLUSION

Jalons d'une réflexion concernant la problématique et l'histoire de la psychanalyse, les résultats présentés ici ont avant tout pour effet de mieux préciser la spécificité du champ analytique par rapport à l'ordre vital. Or cette spécificité ne se définit pas seulement par l'établissement d'une frontière épistémologique. Elle ne trouve son sens que si l'on réussit à dégager les types de relations existant entre ces deux ordres : circulation « génétique » qui doit nous permettre de situer les temps logico-chronologiques d'une émergence et les modes de transposition d'une sphère à l'autre.

Dans la sexualité humaine, l'instinct, force vitale, se déqualifie et se perd dans la pulsion, son rejeton ou «dérivé»(1) métaphoro-métonymique. Déjà les « Trois essais sur la théorie de la sexualité », dans leur plan même, signifiaient cette perte radicale du biologique, tout en posant, dans

------

(1) « *Derivative* » : c'est ainsi que les Anglo-saxons traduisent le « rejeton » freudien.

leur troisième chapitre (« les remaniements de la puberté ») le schéma de retrouvaille d'une autre structure : celle qui résulte des formes interhumaines de l'échange, logique généralisée dont le complexe d'Œdipe est la figure historiquement prévalente.

Dans le moi, ce n'est plus la tension de la vie mais la forme stable du vivant qui se transpose, trouvant à s'imposer en raison de cette débilité physiologique primitive que Freud, déjà, désigne comme point d'appel au développement proprement humain. La signification « orthopédique » d'une telle forme a été soulignée, avant tout pour être dénoncée, par Jacques Lacan. Mais inscrire Freud dans la lignée d'un La Rochefoucauld et d'un Hegel, analyser ce que la fonction de réalité suppose de méconnaissance et d'alibi défensif ou « idéologique » l'idéal de l'adaptation, ne saurait suffire à annoncer la bonne nouvelle de la « fin du moi », fût-ce chez l'analyste. Ceci non pas seulement en raison du fait que malgré tout « il faut bien vivre » et que l'être humain ne peut suppléer à un amour de la vie parfois défaillant que par l'amour du moi ou l'amour des instances idéales qui, à leur tour en dérivent — mais aussi, si l'essence de la fonction moïque est de *liaison* avant d'être d'adaptation, parce qu'un minimum d'intervention de cette fonction est indispensable pour que même un fantasme inconscient puisse *prendre corps*. Pour le fantasme aussi bien que pour le mythe, le structuralisme a permis de dégager une combinatoire, et de montrer, à la suite du Freud de « l'Interprétation du rêve » que la structure symbolique ne devait pas être confondue avec les pouvoirs prétendument infinis de l'imaginaire. Pourtant même un fantasme inconscient, soutenu dans l'articulation de ses termes et dans la permutation de ses différents avatars par une « grammaire » fondamentale, ne saurait prendre existence sans la présence du minimum d'inertie imaginaire qui permet, tout au long de sa chaîne, la précipitation de ces concrétions semblables à des objets (« *object-like* », dirait-on en anglais) en ce que, comme eux, elles peuvent être cernées et investies : les « représentations ».

Pour faire mieux saisir ce que peut être cette intervention énergétique du moi dans la séquence du fantasme, rappelons-nous par exemple comment Freud, tout au long de ses textes métapsychologiques et depuis 1895, décrit le passage au niveau préconscient-conscient d'une représentation inconsciente : il y a superposition à la représentation inconsciente, par une sorte d'addition, de représentations verbales. Il ne s'agit pas là, à proprement parler, d'une phrase consciente doublant comme sa traduction une séquence inconsciente, mais de représentations isolées, investies ponctuellement, induisant localement autour de chacune d'elles un champ énergétique qui rend compte du phénomène de « l'attention ». Ainsi, dans cette sorte de machine électronique d'abord sans frontières et sans énergie *propre* qu'est le système neuronique de l'*Entwurf*, c'est le moi, dérivé de la forme énergétique vitale, qui introduit la ponctuation d'éléments perceptifs reconnaissables et *reproductibles*. Ponctuation nécessaire, peut-être, à la fixation de toute chaîne discursive, même celles de l'inconscient et, à l'autre extrémité, celles de la science la plus formalisée.

Face au moi, forme vitale liante, la *pulsion de mort* est le dernier avatar théorique à venir désigner un logos qui serait nécessairement muet s'il se réduisait à son état-limite, au pur mouvement prédicatif faisant passer, à travers la copule, toute la substance d'un terme dans le terme voisin. C'est dire que le conflit du moi et de la pulsion, de la défense et du « fantasme de désir », n'est ni la seule ni l'ultime forme, de l'opposition entre *liaison* et *déliaison*. Au niveau inconscient, dans le fantasme, — si du moins on veut se le représenter autrement que comme « pure » énergie libre — il faut bien que se trouve une autre polarité, plus fondamentale : pulsion de vie et pulsion de mort, interdit et désir... (1).

Absente de tout inconscient, comme de tout bouquet la rose, la mort s'y retrouve peut-être comme sa logique la plus radicale mais aussi la plus stérile. Mais c'est la vie qui cristallise les premiers objets où s'attache le désir avant que ne s'y accroche la pensée.

---

(1) Cf. Laplanche (J.), « *la Défense et l'interdit dans la cure et la conception psychanalytique de l'homme* », in *La Nef*, nº 31, juillet-octobre 1967, pp. 43-55.

TABLE DES MATIÈRES

ACHEVÉ D'IMPRIMER LE
12 OCTOBRE 1970 SUR LES
PRESSES DE L'IMPRIMERIE
BUSSIÈRE, SAINT-AMAND (CHER)

— Nº d'édit. 7027. — Nº d'imp. 1017. —
Dépôt légal : 4ᵉ trimestre 1970.
Imprimé en France

VIE ET MORT EN PSYCHANALYSE